新潮文庫

怪しい日本語研究室

イアン・アーシー著

「食べさせられる」「食べさせられましたら」。しかも動詞だけで文章が成り立ち、おまけに様々な人間関係まで込められている。「あげる」「してくださったのね」「殺してやる」。語彙《ごい》そのものにも魅せられてしまった。「桜吹雪」や「五月雨《さみだれ》」のようなやさしい和語もあれば、「言語道断」や「難攻不落」のような力強い漢語もある。そして仮名と漢字のあの不思議な組み合わせ。私にとっては全《すべ》て新鮮で、一目惚れした。日本語は大変つれなく、なかなかものになってくれないが、それでもずっとメロメロ。

いや、ここは研究室なんだから、実験台の妖《あや》しさばかりに目を奪われないで、もっと冷静になって解剖したり、計測したり、分析したりしなきゃいけないな。

さて、早速メスを入れましょう。

挿画　大田垣晴子

目次

序

第一部　文法オタクの語彙マニア

第二部　その言い方は気になる

怪しい日本語研究室

第一部　文法オタクの語彙《ごい》マニア

属人的な言語、属地的な言語

ナイアガラの滝周辺で、日本人観光客相手のツアーガイドをやっていた時のことだ。よその団体さんとすれ違って、ひょんなことから日本語で言葉を交わした。何を話したかよく覚えていないが、覚えているのは一つだけ。別れ際《ぎわ》に「変な外人！」と捨てぜりふを吐かれてしまった。カナダでの話ですよ。「この国では、あなた達の方が外人だよっ！」と切り返したかったけど、そんなことを考えているうちに、相手は去ってしまっていた。

話は全然違うが、七〇ページに収録されているコラム「忌《い》み言葉『平和』」は、「毎日新聞」に載った後、日本の二十世紀を振り返るシリーズ『週刊YEAR BOOK日録20世紀』（講談社）の九七年版で取り上げられた。身に余る光栄、本当に嬉《うれ》しかった。ただ、一つだけ気になることがある。取り上げられたコーナーは「外から見た日本」という題名だった。実は、そのコラムを書いたのは当時の自宅があった東京の府中。都心まで電車で二十分のところだ。「外から見た日本」どころか、日本のど真ん中から見た日本じゃないか。おまけにその時点で、ぶっ通しで八年ぐらい日本に住んでいて、その前の滞在期間も合わせると合計十一年前後の在日経験があった。しかし、私が書いた以上、「外から見た日本」になるらしい。これだけ長く日本にいても、私のオツムの中は一種の治外法権とみなされるようだ。つまり移動型租借地、はたまた米軍基地みたいなもん。

一見関係のなさそうな二つの体験。しかし底流では同じ考えが貫かれているんじゃないかな。自国にいるのに「外人」と呼ばれ、何年も日本にいるのによそ者扱い。日本人の頭で、日本語で考える限り、私の位置付けは居場所や環境や経験に左右されない不変のものらしい。

逆に、「我が国」ということば。辞書では「自分の国。わたしの国」等というふうに解説されているが、はたしてその程度の意味だろうか。フランス人が日本語で「我が国の首都はパリです」と言ったら、やはりどこか不自然でしょう。日本語で喋《しゃべ》っても、外人は「我が国」ということばを使えない。なにしろ日本語で喋っている以上、「我が国」は日本に決まっている。豊葦原瑞穂国《とよあしはらのみずほのくに》じゃないけど、事実上日本国の別称なのだ。「国語」や「国史」だって不特定の国の言葉や歴史を指すわけじゃなく、日本語と日本史に決まっている。

法律では、「属人主義」という概念があるそうだ。どこにいようと、自分の国の法律が適用されるという考え方だ。こじつければ、日本語は「属人」的な言語とも言えないか。日本語では、居場所にかかわらず、ウチの者とソトの者は固定されている。東京の麻布あたりに外人さんがいっぱいいるが、カナダやイギリスなどの外国に出てもやはり、外人さんがいっぱいいるわけだ。その土地を基準とはしない。その人を基準とする。

このように考えれば、先ほどの「変な外人」という指摘は正にその通りと認めざるを得ない。この日本語への妙なこだわり一つを取ってみても、「変」のレッテルを甘んじて受けるしかないでしょうし、自国のカナダにいても、とにかく日本語ではやはり「外人」なのだ。

日本人の観点に立たない「外人」の用例としては、フランスの「外人部隊」ぐらいしか思い浮かばない。

日本語が属人的だというなら、英語の方は「属地」的だと言っていいでしょう。居場所によって、誰がどう形容されるのかが逆転したりする。「外人」を英語に訳すなら「フォーリナー」になるだろう。日本人がカナダに来た場合、あえて言えば「フォーリナー」だが、実は今はあまりこの表現は使わなくなった。しかし私が日本にいる時に、日本人を指して「フォーリナー」という言葉を使うことは、もちろんない。むしろ自分のことを指して言うのだ。英語はその土地を基準とする。

ついでに言えば、日本語の「我が国」ほど適用範囲の狭い言葉は英語にはない。日本語の「属人主義」はいろんなところに現れている。先日、成田空港で降りた時のこと。こんな看板が目に付いた。

おかえりなさい　Welcome to Japan

「ようこそ日本へ」は英語でしか書いていないのだ。日本語が読めるぐらいの人だと日本人に決まっている、日本へ歓迎する意味がない、「おかえりなさい」で充分なはずだ。という意識が見え隠れしている。その人が日本人であるかないかによって、日本に着いた際にかける言葉の中身ばかりか、かける言語まで決まってしまう。ある中国人の友人のように、外国人でありながら、英語より日本語の方が達者な人がいるって可能性が全く視野に入っていない。

そう言えば、私は九八年から日本とカナダでの二重生活を送っている。で、日本に戻る際は、前もって日本の友人や取引先に連絡しておくわけだ。だが、それをどのような表現で伝えたらいいか、毎度悩む。「私は某月某日来日する予定」じゃ変。確かに、相手から見ると「来る」わけだが、自分からすると「行く」のだ。「渡日」ということばは一応存在するようだが、耳慣れない。帰化していない以上、「帰国」もずれる。仕様がないので、取りあえず疑問符付きで「某月某日帰国（？）する予定」で通している。日本人ではない人が、日本の外から、日本に向けて、日本語で、「日本に行くよ！」と発信することがあんまりなかったからか、それを一語で表す熟語を必要としなかった。

ただ、日本語は少しずつこの「属人主義」を抜け、日本人の立場にだけ立ったことばじゃなくなるような気がする。日本人でない人が芥川賞を取ったり、その候補になったりする。日本国籍を持たなくても、事実上日本語を「母国語」とする在日韓国人や朝鮮人もいっぱいいる。そして、今はまだほとんど議論されていないが、少子化や高齢化の対策として、日本もいずれ移民の受け入れという選択に直面する可能性もある。英語がとっくにアングロサクソンだけの言葉じゃなくなっているように、日本語だっていずれは「大和民族」だけの専売特許じゃなくなるかもね、と今日もこの変な外人は、一人でただひたすら考えるのである。

「私」と「僕」のはざまで

小生が日本語でしゃべる時、このイアンは己のことを何と呼ぶべきかで悩むことがある。我が輩は外国人である。英語では「I」「my」「me」で間に合うのに、ボクは日本語の自称の数々に戸惑うのだ。拙者は日本語が達者である、と我ながら自慢したいのだが、このざまでは私風情《ふぜい》の者にはそう威張る権利などない、と筆者は思う。日本語の一人称の多いこと! 日本人はきっと自然に自分の呼び方が決まることだろう。だが日本語を外国語として習う人(特に男性)の場合は、いずれ決断を迫られる。最初に覚えた「わたくし」をやめ、もっと自然に聞こえそうな「僕」に切り替えるかどうか。

対称は自称以上にくせ者である。日本語では、二人称の代名詞はどうもどんどん格下げされていく傾向にあるようだ。「あなた」は、漢字で「貴方」と表記されるように、本来敬意を表す。しかし今は亭主を呼ぶのに、または少しけんか腰になったときすごむのに使うぐらい。「あなた失礼な人ね」とか。軽蔑《けいべつ》の色が濃い「貴様」も「お前」も、江戸時代前期は目上の相手に対する敬称だったそうだ。他の対称も同じ運命をたどり、こんなことを言う日が来るのだろうか。「おい！　そちら様！　止まれ！お宅何やりやがってるんだい！」

とにかく英語の「ｙｏｕ」みたいに、相手がだれでも、同じ代名詞で網羅できる甘い話じゃない。対等または目上の人との関係になると、二人称の代名詞そのものを避けたほうが無難だろう。肩書きや名前で済ますのだ。そう言えば一人称も、省こうと思えば完全に省ける。その模範を示してくれるのは……「ユリめちゃ忙しいからぁー、あんな男の相手させられて、ユリ超ムカツクゥー」とか。代名詞なんかなくても日本語は案外成り立つ。そんなめんどくさい品詞を廃止すればいい、と思われても不思議ではない。でも予はやはり反対だ。

曖昧《あいまい》に聞こえる理由

「日本語は本当に曖昧だから」。耳にたこが出来るほど聞かされているが、果たしてそうだろうか。

日本に来て間もないころ、習字にちょっと手を染めてみた。早くも挫折《ざせつ》、今でも字が汚くてとても人に見せられたもんじゃない。それはさて置き、ある日先生に課題を提出したら、こんな指導をいただいた。

「線をもうちょっと細く書かれたほうがいいんじゃないですか」

このことばには随分戸惑った。断定しないで、疑問文の形で助言してくるのだ。向こうは先生、それも高校の国語教師。こっちは全くの初心者、それも日常会話にだって苦労する異邦人。線をもっと細く書いたほうがいいということなら、**ずばり言ってもらいたい。**

まあ、習字は特殊なケースかも。一種の芸術というわけだから、どうしても線を太く書きたいと言うなら、いくらド太く書いてもいいだろう、ということで、先生はそのように言って下さったとも考えられる。ただ、同じ時期に、ほかにも妙に似たやり取りがあった。どんな表現だったのかすっかり忘れちゃったけど、ある友達に、

「〇×って、日本語として正しいですか」

と聞いたら、

「正しいんじゃないですか」

と言うのだ。

「いや、だから、正しいですか？　それとも正しくないですか？」

「正しいんじゃないですか」

いくら追究しても、明確な答えは得られない。

日本人はやっぱり評判どおり、曖昧だな……と当時は思ったわけだが、とんでもない勘違いだった。先生も友達も、日本語なりにずばり言ってくれていたのだ。疑問文のオブラートに包まれているとは言え、真意についてはいささかの疑問もない。

「線をもっと細く書いたほうがいいよ」

「〇×って、日本語として正しいよ」

曖昧だと誤解していたのは、実は日本語特有の相手への配慮に過ぎなかった。特有と言っても、他の言語には全くないというわけではなく、ただ、日本語の場合は特に高度に発達している。明快な意見を持っていても、いざ伝えるとなると、押し付けるのを避けるため質問の形式に切り換える。例えば、「バカ言ってんじゃネーよ、このアホ！」と思っても、口には出さない。「おことばですが、それはちょっと違うんじゃないでしょうか」とか言うのだ。それでも、真っ向から反論しているんだなということぐらいは火を見るより明らか。

ついでに言えば、疑問文という形は衝撃を和らげるどころか、増幅させる場合もある。「おまえバカか」。形式は問いかけでも、決して返答を求めているわけじゃない。

君のことを好ましくなく思ったこともなくはないけれど――
実はその
はっきりいえっつーの!

「いいえ、違います。平均的な知能指数です」なんて答える奴《やつ》はいない。

日本語の曖昧さを語る際、主語を抜かしがちなのも必ず俎上《そじょう》に載る。さて、それのどこが曖昧でしょうか。抜かしてもはっきりしているから抜かすのだ。小稿でも、「私」という主語を何回も省いているが、「エー、誰の話しているの」と迷った読者は一人もおられないだろう。

とは言え、曖昧な日本語が世の中で飛び交っているのも事実。その紛れもない傑作として、数年前のとある大蔵大臣のこんな発言がある。

「G7でこの問題についての協議がなされないというふうに断定的にとることは必ずしも正しくないというふうに思っとるんです」

回りくどさのあまり意味が半分見失われている。だがよく考えたら、そうさせているのは決して日本語自体の構造や特質じゃない。あくまで喋っている本人の問題なのだ。

日本語が曖昧に使われる背景には、様々な理由があるだろう。ごまかしたいからとか、文章がただ単にへただからとか。とにかく日本語そのもののせいにするのは、日本語に失礼。

結論は、日本語は曖昧じゃない――じゃないかと思う（私が）。

非合理の自然さ

新聞の投書欄ってずいぶんおもしろいところで、いろんな主張が展開される。数年前、とある大新聞にはこんなお叱《しか》りの一筆が載った。「採算がとれる」という表現は日本語としておかしいと言うのだ。重複しているから。「採算」の「採」という字は「とる」と訓読し、「とれる」がそれと重なってしまう。「採算が合う」にすべきだ。大体そんな趣旨だったと記憶している。

確かに、こういうふうに虫眼鏡を通して、言葉づかいを隅々まで精査したら、ボロがどんどん出てきてしまう。でもね……。

「未然に防ぐ」という慣用句を例に取ってみましょう。これも重複していると言えば重複している。「防ぐ」それ自体、「未然に止める」のような意味合い。未然でない防ぎ方なんて、果たしてあり得るのだろうか。物事を事後に防ぐことができたら、それこそ後悔先に立たずとも困りゃしない、覆水ちゃんと盆に返ってくれる。

こんなこじつけを根拠に、「未然に防ぐ」を弾劾《だんがい》する向きはさすがに少ないだろう。言葉をそこまで合理化してどうする？

しかしどうしても合理化したいと言うなら、こんなのも対象にならざるを得ない。

「傘を持っていってね、雨が降るといけないから」

あくまで字面《じづら》にこだわるんだったら、こいつは論理的にちょっぴり狂っている。傘とは優れた道具ではあるが、持っていったところで、雨が降るのを予防する効能は残念ながらない。降る降らないの問題じゃなくて、万一降ったら、びしょぬれになるといけない——言いたいのはそれなのだ。

舌足らずと言えば舌足らずなわけだが、あえて誤解する意地悪はいないだろう。

仇討《あだう》ちを予告する際の「覚えておけよ！」もいかがなものか。臥薪嘗胆《がしんしょうたん》、自分で覚えておかないとダメ。敵《かたき》に覚えておいてもらおうと思ってもちょっと甘い。なんちゃって。

同一表現で、正反対の意味のものがあるのにも、無理してこだわろうと思えばこだわれる。

「十八歳？　若いね！」

この「若いね！」は、相手が意外と若年であることに対して驚きを表している。

「八十一歳？　若いね！」

この「若いね！」は、相手が意外と老齢であることに対して驚きを表している。

英語の肯定否定
行かないんですか
はい
イエス
日本語で考えると
オーッ
行くのですか
えっ
混乱する
?
どっちなんですかー
ちがいます
いかないんです
ノー
ノー

大体、前後関係だけで真意をすぐ見極められるが、なかなかはっきりしない場合もある。

「バンジー・ジャンプしに行かない？」

「僕はいいけど」

「だから行くの？　行かないの？」

こういった、単純なロジックにかけては説明しきれない言い回しがいくらでもある。ちょっと非合理的ではあるが、極く自然。「いつ来るかどうか」の「どうか」は、全くの蛇足。「行く前に」と「行かない前に」は表面的には肯定と否定との違いだが、意味は一緒。こんなのに一々難癖を付けてたんじゃ、日本語そのものが成り立たなくなってしまう。

色vs.カラー

信号機の三色は？

日本人ならためらうことなく、「赤」「黄」「青」と答えるだろう。しかし英語では正解は「レッド」「イエロー」そして「グリーン」。どうして「ブルー」と言わないいんだろう。

日本の信号機と英語圏の信号機は色が違うのか。いや、この目には一緒に見える。もしかして、日本人とガイジンとでは視覚器の構造が根本的に異なっていて、日本人には青と映るものが、ガイジンには緑色に映るのか。そう言えば、日本人は腸がガイジンより長いから、アメリカの牛肉を消化しにくいなんておもしろい説もある。同じ人間だもん、生まれながらにしてそんなに違うとは思いたくない。

あくまで言葉の上での問題じゃないだろうか。「青信号」というのは、日本人の目にもブルーじゃなくて、やはりグリーンに見えるだろう。ただ、日本語の「青」はもともと、英語の「ブルー」とは完全に一致したわけではなく、緑色まで引っくるめたようだ。「青信号」はそのより広い意味の名残だろう。夏の田圃《たんぼ》だって、青々としているからと言って「ブルー」というわけではない。稲穂を全部群青色《ぐんじょういろ》にでも塗らない限り。ついでに、「青二才」も英語では「グリーン」なやつ。

信号機はところで、純日本製の色彩表現の小さな砦《とりで》みたいなもんだ。そこから一歩でも踏み出すと、もう「グレー」や「ベージュ」や「パープル」の世界だ。「緑」だって、「大切にしよう」とあんなに熱心に呼びかけているのに、「グリーン」に縄張りをかなり侵食されている。「緑色のセーター」と「グリーンのセーター」とでは、どっちが一般的だろう。

「桃色」に至っては、「ピンク」を相手にすでに敗色が濃い。ただし、「ピンク」のいかがわしい雰囲気は「桃色」から引き継いだ日本語独特の感覚で、本来の英語にはない。「ピンク映画」は、英語では色違いで「ブルー・ムービー」。これも別ルートで、「ブルー・フィルム」として日本語にも輸入されているが。

片仮名の勢いはとどまるところを知らない。鈍色《にびいろ》の空を眺めながら、一抹の寂寥感《せきりょうかん》を禁じ得ない。日本語本来の色の名前はとてもきれいなのに。

我が家の近所に紺碧《こんぺき》の海が広がり、柿色《かきいろ》の夕日が沈む時、天を橙色《だいだいいろ》や紅《くれない》に染める。さすがに小豆色《あずきいろ》や臙脂色《えんじいろ》までは行かないが。

調子に乗って、この茜色《あかねいろ》の夕焼け空の下に一人の美女がいるとしよう。紅《べに》をさした艶《あで》やかな唇。潮風になびく髪の毛は漆黒か、栗色《くりいろ》か、亜麻色《あまいろ》か。茶髪かもね。ひとみは茶褐色か、藍色《あいいろ》か、菫色《すみれいろ》か。色眼鏡をかけていたらわからないけど。山吹色のワンピースを身にまとっているかもしれないし、杏色《あんずいろ》のブラウスに鼠色《ねずみいろ》のミニスカートかもしれない。あるいは、何色でもいいからハイレグの水着姿——と書きたいところだが、それじゃ「色狂いか」と白い目で見られてしまう。絶景をさかなに、色っぽい美人は黄金色《こがねいろ》の黒ラベルで喉《のど》を潤《うるお》す。やがて餅肌《もちはだ》が桜色を帯びる。

たとえば
「緑」にだって
たくさんの色
がある

こんな粋《いき》な言葉が勢揃《せいぞろ》いしているのに、みんなどうして「ワイン・レッド」や「エメラルド・グリーン」や「コバルト・ブルー」みたいなつまんない外来語を使うのか、頭に来る、と言うか、色をなすよ、まったく。

略語の天下

当研究室において研究活動でもしていない限り、私は本業の翻訳に専念している。四六時中、死に物狂いで大量の和文を英文に訳しているわけだが、「参ったな」と思うことがちょくちょくある。一番困るのは、意外なことに、日本語独特の言い回しや微妙なニュアンスなんかじゃない。こんな文章なのだ。

「ＳＳ網拡大及びＤＩＹ展開に伴い、ＲＶ市場を中心にＣＩ戦略の見直しが求められる」「ＣＶＳのＦＣ間競争が激化する中、ＯＡ化によるＰＤ効率の向上が課題となっている」

何だ、その納まりの悪いアルファベットたちは？　難解な専門用語以上に悪質なのだ。

横文字なんだから、取りあえずごまかして英訳にそのまま取り入れてもよさそうなもんだが、そういうわけにもいかない。和製英語があるのと同じように、和製頭文字もあるのだ。元の用語が立派な英語でも、日本では勝手に省略するから、英語ではもちろん通用しない。そこで一々意味を調べないとだめ。しかし辞書を引いてもなかなか見つからない……。ああ、頭痛い。

こんなので頭を痛めているのはどうも私ばかりじゃないらしい。森喜朗《よしろう》元首相は「IT」と略して、インフォメーション・テクノロジーこと情報技術を内閣の売り物に掲げた。国会で演説しても外国の要人と会談しても記者会見をやっても、いつも「IT」「IT」の連発だったわけ。でも、ある日、「IC」と言い間違えてしまったんだ。「IC」って、集積回路のことじゃなかったっけ。こんがらがっちゃうのも無理はない。

だが観点を変えれば、こういった頭文字の頻出ぶりは、なかなか興味深い。日本語のある特徴を浮き彫りにしているからだ。つまり、日本語はことばを省略するのが大好き。

大衆文化の不動の一角を占め、サラリーマンと共に日本企業を支えているのは?「オフィス・レディー」と答える人は少ないだろう。ましてや「女子社員」なんて。「OL」と略するのが普通。時と所と場合をわきまえるのは「TPO」。どっちも和製頭文字で、英語では本来通じない。

頭文字にするのは比較的整然とした省略の仕方。もっと血なまぐさい方法もある。出刃包丁を振り回して元の単語をめった切りにするのだ。「パーソナル・コンピューター」から贅肉《ぜいにく》を容赦なくえぐり取り、「パソコン」に思い切ってスリム化。「セクシュアル・ハラスメント」（性的嫌がらせ）は、ばしっと「セクハラ」で六割強の削減達成。減税もこの精神でやってもらいたいですね。

片仮名は特にこういう目に遭いやすい。外来語を日本語に衣替えしたら、やたら音節が増えるからだろう。英語の「ｓｔｒｉｋｅ」はわずか一音節だが、日本語にしたら「ストライキ」と、なんと五音節に膨張してしまう。そこで「スト」にそぐわけだ。

身を削っているのは片仮名ばっかりじゃないが。「留守電」や「銀ぶら」みたいな純日本製のやつもある。また、国際交流が盛んな今日この頃は、和洋折衷も目立つ。「どたキャン」「朝シャン」。小渕《おぶち》元総理が有名にした「ボキャ貧」。そして何年か前、悪名をとどろかした「ＭＯＦ担」。大蔵省の英名の頭文字＋「担当」の略。大蔵官僚を接待漬けにする銀行側の職名でしたね。

姓名まで短縮の対象となる。要領は、上の名前と下の名前の最初の部分をそれぞれ抜き取り、両方をくっ付ける。アイドルの木村拓哉《たくや》は「キムタク」。ハリウッドの映

女子高生は略語だけで会話する
キタクってゆーか
ガングロ
チョムカだから
スマムシ!
マジで
なに?

画俳優、ブラッド・ピットは、日本では「ブラピ」ともてはやされている。本人が知ったらたまげるだろうね。一国の総理大臣と言えども、こんな呼び方は免れない。「橋龍」はそうでしたね。九八年夏、参院選の思いも寄らぬ惨敗《ざんぱい》で任期も同じように縮められたのはお気の毒だったが。

かと言って、失策ぶりを考えりゃ、辞めちゃったのも仕方なかったって言うか、日本にとってはそれこそ「棚ぼた」だったかも……。

名ばかりの話

仕事で取引先などに電話をかける時、よく困ることがある。

「アーシーと申しますが……」

と名乗ると、電話番のおねえさんが必ず面食らう。変わった横文字の名字、なかなか聞き取れないようだ。

「はい？」

と聞き返す人もいる。

「カタカナで、アーシーと申しますが……」

一文字ずつ、丁寧に繰り返す。

「アーシーの……どちら様でしょうか？」

と確認する人も、たまにはいる。

「ソフトバンク」はたまた「みずほフィナンシャル・グループ」じゃないけど、最近はやりのカタカナの社名だと勘違いしているのだろう。一回だけこんなやり取りもあった。

「アーシーと申しますが……」

「大橋様……でいらっしゃいますか？」

確かに似ていないこともない。無理をすれば。

とにかく面倒臭い。ただでさえ苦手な電話、これで一層わずらわしくなる。

解決策として、ファーストネームの「イアン」を名乗る方法も考えられる。その方が日本人の耳にすんなり入るような気がする。

「イヤ〜ン！　ばっかぁ〜ん♡」

の「イヤ〜ン」に近いからだろうか。

どうしても聞き取ってもらえなくても、その対策はもう万全。バイトで日本からの観光客相手にナイアガラ案内をやっていた頃を思い出せばいい。とにかくお客さんに自分の名前をしっかり覚えてもらおうと編み出した奇策がある。電話のやり取りに応用すれば、大体こんな感じになるだろう。

「イアンと申しますが……」

「はい？」

「慰安旅行のイアンと申しますが……」

まあ、テーマ的には確かに、仕事の電話というより、旅の案内にぴったりだ。ところで、この記憶法はその当時非常に功を奏した。十年以上たった今でも、お付き合いいただいているお客さんもあり、「慰安旅行のイアン」という自己紹介をいまだによく覚えてくださっている。

しかし、「アーシー」を「イアン」と言い換えただけでは、因循姑息《いんじゅんこそく》な手段と言わざるを得ない。もっと、思い切った作戦が求められる……。

ということで、ある日、大胆にも電話で日本の名字を名乗ることを決断した。一々名前を聞き返されないための予防策なわけだから、なるべく平凡な名字にした方が賢明。「鈴木」でも「田中」でもよかった。だがそこで、私一流の物好きが災いした。ためらうことなく、「正親町三条《おおぎまちさんじょう》」にしたのだ。

「何だそりゃ⁉」という声が聞こえてきそう。

立派な日本の名字だ。正親町三条家は昔の公家《くげ》の家柄。三条家から枝分かれしたもので、元をただせば藤原家の傍流とのこと。日本史の研究をしていた学生の頃、幕末・明治維新に活躍した正親町三条実愛《さねなる》というお公家さんに巡り合い、初めてその氏を知った。実愛さんはその後、「嵯峨《さが》」と改名したそうだ。余計なお世話だろうが、もったいないことをしたもんだ。「正親町三条《おおぎまちさんじょう》」。五文字にもわたる途方もない長さといい、厳かな響きといい、私は一瞬にしてそのとりことなった。

だから電話で日本の名字を名乗ろうと決めた時、その選定には少しも迷わなかった。

「正親町三条と申しますが……」

取引先に迷惑をかけるとまずいから、先《ま》ずタウンページから無作為に会社を選んで、実験的に電話をかけてみることにした。うまくいけば、こんな会話が滞りなく展開されると予想された。

「○×商事でございます」

「正親町三条と申しますが……」

「いつも大変お世話になっております」

誰なのかさっぱりわからなくても、取りあえず日頃の尽力に謝意を表するのが日本の会社の流儀。

「こちらこそ……」

無作為に電話帳から選んだんだもん。こちらだって、いつもお世話になっているはずがない。

「恐れ入りますが、鈴木さんいらっしゃいますでしょうか」

「鈴木」はやたら多い名前だから、中小企業でも、一社に一人や二人ぐらいはいると踏んだ。万一いない場合に備えて、「田中」や「佐藤」もバックアップとして用意していた。

「はい、鈴木でございますね。少々お待ちくださいませ」

保留のメロディが聞こえたら電話を切ればいい。この時点で実験は成功裡《り》に終わったわけだし、業種も知らない会社の「鈴木さん」には何の用もない。

だが、とどのつまり、実験は大失敗に終わった。最初にかけた会社は無残な結果だった。

「〇×商事でございます」

「正親町三条と申しますが……」

「はい!?」

「正親町三条と申しますが……」

「…………」

一音節ずつ、丁寧に繰り返したが、シーン。日頃の尽力への言及もなかった。仕方なく続けた。

「恐れ入りますが、鈴木さんいらっしゃいますでしょうか」

「はい、鈴木でございますね……お名前……もう一度お願いいたします」

「正親町三条と申します。第百六代天皇、戦国時代の混乱の中、即位の費用を工面するのにも苦労したことで知られる正親町天皇の『正親町』に、平安京の一条・二条・三条の『三条』です」

詳細は略すが、そこから下り坂だった。きっと貧乏くじを引いて、いわゆる企業文化のよっぽど低い会社に当たったんだろう。そう自分に言い聞かせ、態勢を立て直して次のモルモットに電話をかけた。

「○×商事でございます」

「正親町三条と申しますが……」

「OB《オービー》待ち産業……のどちら様でしょうか」

そこで電話を切った。仕方がない。

「アーシーと申しますが……」

と名乗って、

「はい？」

と聞き返されて、一生過ごすだろう、とあきらめた。

……というのはもちろん真っ赤なウソ。いや、名ばかりの話でかたじけない。アーシーと名乗って、電話番のおねえさんを脅《おびや》かしているのは事実。慰安旅行のイアンも真実。だが、正親町三条だけはまだ試していない。

「正親町三条」。めちゃくちゃカッコイイ。

日本の著名人で、英語の通称を使っている人はたまにいる。プロデューサー・タレントのテリー伊藤。脚本家のジェームス三木。安室《あむろ》奈美恵の元旦那《だんな》のサム。日本人は西洋風の名前にあこがれているのか？　私はその逆。日本人の名前はなかなか味があってうらやましい。

名字には様々な動植物が組み込まれている。「桜内」「梅原」「藤井」「胡桃沢《くるみざわ》」「桑田」「魚住」「鳩山《はとやま》」「熊谷《くまがい》」。じつに豊富な生態系。いろんな風景や自然の表情も展開される。「森」「林」「谷」「岸」「小坂」「岩崎」「清水」。以上の多くはもともと地名だろうが、日本の風土をそのまま反映している。だから「縞馬田《しまうまだ》さん」とか、「ツンドラ野さん」とかは絶対にいないだろう。

天体も時たま顔を出す。「星野」「望月《もちづき》」満月のことだそうだ。

東西南北もそれぞれそのまま名字になる。分家の「北北西さん」などはいなさそうだが。

色彩も豊か。「白石」「黒田」「赤井」「青山」。「緑」の方は女子の名前として定着している。

人間の営みも垣間見《かいまみ》える。よく登場する「田」や「井」の字は正にそう。そして「北畠」「釜本」「橋爪」「寺田」「町井」。でもおもしろいことに、英語の「スミス」（「鍛冶屋《かじや》」の意）のように、職業を表す名字は現代ではどうやらあまりないみたい。

「長《おさ》」という名前のように、もともと位を指したものはたまに目にするが。

「藤」という文字の絶大な人気も目立つ。「佐藤」「斎藤」「伊藤」「安藤」「後藤」「近藤」。日本一の名家、藤原氏の栄華にあやかってか、はたまたその末裔《まつえい》だとの主張からか。

ほぼ意味不明な名字もある。「毛利」とは一体なんだろう？「相馬」は？ 中曽根《なかそね》の「曾根」は？ まあ、ここまで追究しなくてもいいかも。「アーシー」の語源だって、さっぱりわからないし。

とにかく重度の姓名オタクだ。不思議な名字に遭遇するとたまらない。数年前、ワイドショーを観《み》ていたら、勅使河原《てしがわら》さんという人物が出てきた。お名前を紹介する画面の字幕に目が釘付《くぎづ》けになり、その時点で報道内容そのものはどうでもよくなった。かの見事なネーミングに興味がすっかり移ってしまったからだ。「勅使」という恐れ多い文字が名字の一部になっているとは。いいなー。改名するんだったら「正親町三条」をやめて、「勅使河原」にしようかな、と一瞬揺れたくらいだ。

これほどまでに名字に夢中になっているのは、傍から見るとちょっと変かも。でも、そう言えばちょっと前、日本社会の一部でも、名字に関するとある問題に、変に夢中になっていた人達もいる。

いわゆる夫婦別姓問題。

今でこそやや下火になった感があるが、一時期は「あなたは夫婦別姓に賛成か反対か」という議論がテレビなどで盛んにされていた。「あなたはバイアグラに賛成か反対か」とか、「あなたは塩辛に賛成か反対か」と聞くようなもんじゃないか。自分自身はビンビン、バイアグラなんか不要、おまけに塩辛なんて大っ嫌いかも知れない。だからと言って、どうしても欲しいと言う人がいるのに「入手させるな！」と言うイジワルはそういないだろう。夫婦別姓だって一緒の気がする。従来どおり同姓でいいと思っている数多くの日本人にまで強制するわけじゃないんだから。別々な名字を名乗りたい人に、その選択肢を許すだけの話だ。

反対論者はそれにすら反対しているわけだ。夫婦別姓は日本古来の文化や伝統的な家族観にそぐわない、とか。はて、それもどうかな。江戸時代には、名字そのものは武士の特権みたいなものだったんで、人口の大半を占めた農民はほとんど持たなかった。だから同姓も別姓もない。

そして武士の間ですら……江戸からさらに歴史を遡《さかのぼ》り、例えば北条政子《ほうじようまさこ》が旦那の源頼朝の籍に入って、「源政子」に改姓したわけじゃない。数年前、大河ドラマの主人公だった日野富子《ひのとみこ》だって、室町将軍の足利義政《あしかがよしまさ》とめでたくゴールインしたが、婚姻後も「足利富子」とは名乗ってなかったようだ。

確かにその後、足利家は応仁の乱などを興《おこ》して、事実上崩壊したが、その原因を義政・富子夫妻の「夫婦別姓」に求める学説はないだろう。

とにかく、夫婦同姓が定着したのは明治以降らしい。別姓の方が、名字が二倍あって、バラエティに富んでいて楽しい、と思う人もいるかもしれない。

あっ、つい名字ばっかりに熱中してしまって、下の名前の方をうっかり見過ごしてしまった。

日本の中学で英会話の教師をやっていた頃のことである。出席簿を手本に、生徒達の下の名前の読み方の学習に、わざわざ励んだ覚えがある。特別な研究を要するほど、日本人の下の名前の読み方はひねくれている。いや、特別に研究しても、結局無駄。「憲次」は「けんじ」か「のりつぐ」か、本人に聞かなきゃわからない。へたをすると「かつひで」だったりするかも知れない（まあ、それは冗談だが）。「紀子」は「のりこ」で間違いなさそうだが、秋篠宮《あきしののみや》の奥さんの場合は、どういうわけか「紀子《きこ》様」。サッカーの三浦知良選手にいたっては、あれで一体どうして「かずよし」って読むの？

親御さんが名を付けた際、簡単に読めてしまうものじゃ困る事情でもあったのかと疑いたくなることすらある。

名前と本人の性格が、微妙にずれるのも面白い。石原慎太郎は名前に反抗するかのように、全く発言を慎まないヤロウだ。「武《たけし》」と名乗って、平和運動をやっている男はきっといるはず。「愛子」という名の憎たらしい女もね。

名前の流行の変遷《へんせん》だって興味深い。百歳以上の人をリストアップする長寿番付を見ると、すぐに二つのことに気が付く。先《ま》ず、女性がほぼ独占している。それから、その女性達はほとんど、「カヨ」「ミヱ」「あさ」などのような、今では珍しい仮名の名前だ。この女性達が生まれた明治時代には、こういった名前が常識的だったんだろう。

でも、その後大ヒットした「好子《よしこ》」や「美智子《みちこ》」のような、「子」の付く名前の勢いに押され、どうやら廃《すた》れてしまったらしい。しかし流行というのはいつまでも続くもんじゃない。現在「子」の付く名前はむしろ敬遠され、その代わり「沙也加《さやか》」に代表される、工夫した、独創的な名前が人気を呼んでいる――そんな気がする。

こうして見ていくと、女子の名前の付け方は、絶えず進化してきた一種の文化とも見なせるかも。翻《ひるがえ》って男子の名前。こちらの方は、少なくとも明治以降は、女子ほどの大きな変化はないように思う。この国を率いる男達と一緒で、旧態依然としているとでも言うべきか。

さて、名字・名前併せて姓名となるが、この関係で近頃、この国を率いる例の旧態依然とした男達の中で注目していた人物がいる。瓦力《かわらりき》。小渕内閣や森内閣で防衛庁長官を務めた、皆さんもご存じの自民党の議員。その防衛政策は大して気にかけていない。お名前の簡潔なことに感心している。「瓦」で五画、「力」で二画、姓・名足してもわずか七画。調べたことはないが、全国会議員の中でも、一番画数の少ない名前ではないかと想像される。橋本龍太郎の驚異的なちょうど五十画と比べてみてください。「瓦力」の方はインクをほとんど消費せず、紙面もあまり取らず、これからの省エネ・省資源化時代にふさわしいのではなかろうか。

調子に乗って、日本全国津々浦々、最も画数が少ないと推測される名前を探そうと考えた。色々と検証した結果、理論上その栄冠に輝くのは「今一《こんはじめ》」という結論に達した。そんな人が実在すればの話だが。イマイチなやつかもね。

もうすっかりバレているが、この異人の日本語の姓名に対するこだわりは、相当深刻なもんだ。六、七年前だったか、東京都は都指定のゴミ袋を導入した。当時下町に住んでいた私は大喜びだった。

ゴミ袋に「おなまえ」と印刷してあって、そこに記名することになっていたからだ。

しめた！　「おなまえ」を書かなきゃいけないとしても、自分の「おなまえ」でなきゃならないということはないだろう、と夢を膨らませた。ゴミを出すたんびに、違う歴史上・文学史上の人物の「おなまえ」を記せばいいじゃないか！

正親町三条実愛はもちろん、織田信長、九条兼実《かねざね》、額田女王《ぬかたのおおきみ》、双葉山、蘇我蝦夷《そがのえみし》、十返舎一九《じっぺんしゃいっく》、高向玄理《たかむこうのくろまろ》、徳川家斉《いえなり》、御堂関白《みどうかんぱく》、皇太后宮大夫俊成《こうたいごうぐうのだいぶしゅんぜい》……。

ああ、たまらない！

残念ながら、プライバシーの侵害だという抗議の声があまりにも強く、ゴミ袋に「おなまえ」を書く案はとどのつまりボツになってしまった。膨らみに膨らんだ夢をつぶされた私の落胆ぶりは、並大抵のものじゃなかった。

だが今振り返ってみれば、当然の決断だったと思う。日本語そのものと一緒で、日本語の名前だって、捨てたもんじゃない。

「てにをは」に感謝を

日本語の品詞の中でも、極く少数で、しかも短い割には助詞ほど表現力をはらんだものはない。一音節変えただけでかなり違った意味を表せるのだ。「一緒に飲むのが楽しい」と言えばそれまでだが、「一緒に飲むのは楽しい」と言えば、それ以外のお付き合いは願い下げだったりする。「ビールでいい」とは妥協の言葉、「ビールがいい」は理想論、「ビールはいい」ではごめんこうむる。ベンツが誰かに売られたらドイツ車の販売台数もその分増えるわけだが、ベンツを誰かに売られたら無断でそんなとんでもないことをしやがった野郎に一発かましたくなる。

中でも、助詞を最も有効に利用しているのは新聞の見出しだろう。簡潔さが勝負の土俵、助詞一つで動詞構文を代行し述語のかなりの部分を省略できる。ルールを整理すれば大体こうなる。なお断っておくが例文は全《すべ》てでっち上げ。

「未来形は「へ」。例……「沖縄基地、一部諫早《いさはや》干拓地に移転へ」。いつの間にかこんな話がまとまってしまって、将来的に確実に「移設することになった」という意味だ。ここは日本、決まった以上はもう変えられない。

仮定法は「も」。例……「行革で国会の廃止も」。まだ決定には至っていないが「廃止もありうる」、その可能性は議論されている、ということだ。反発は予想されるが。

命令形は「を」。例……「苦しい家計に公的資金の導入を」。金融当局よ、銀行ばかりじゃなくて、我々の懐《ふところ》にも血税を「導入しておくれ」との要求だ。この「を」型命令形はその性質上社説や投書欄の見出しによく出てくる。

「なる」「なっている」「なった」等は「に」で統一。例……「警察の不祥事、過去最多に」。つまり過去最多になった、新記録達成。

見出し風に言えば、てにをはの威力、他にもまだまだ例が。

食いしん坊な言語生活

数年前、航空会社の機内誌で連載した温泉シリーズの取材で、北海道の登別《のぼりべつ》を訪れた。湯につかるばかりじゃなくて、中国式の庭園に「伊達《だて》時代村」、ヒグマのひしめき合う「クマ牧場」など色々回った。水族館にも立ち寄った。大水槽の中を泳いでいく、妙な顔や不思議な形の魚たちをいくら眺めていても飽きない。でも、そこで一番印象に残っているのは、自由に触っていい「磯《いそ》のタッチプール」。いやいや、貝を手に取ったり、小魚をつかまえたりして感動したわけじゃない。張ってあった注意書きに驚いたのだ。

ウニ等を食べたり、持ち帰ったりしないで下さい

「展示物を食うなかれ」という趣旨の警告を見たのは初めて。ここまで戒めなきゃいけないんだから、海の幸とくると日本人の食いしん坊ぶりは相当なものらしい。日本に来てまだ日が浅い頃にもやはり、日本人の友達に水族館に連れていってもらった。水槽の魚を見て、その友達がまず漏らした言葉は「おいしそう!」。日本人は魚を食いもんだとしか思っていないのか。

だって、「さかな」というネーミング自体を考えて下さいよ。ヒレやエラが付いていて、水の中を泳ぎ回るやつのことは、本来日本語では「うお」という。「さかな」はもともと「酒菜」ということで、お酒に添えて食べるものを指したらしい。今でも、「お酒の肴《さかな》」などという形で、その意味はまだ生きている。だがなにせお酒の席に魚《うお》

を出すことが多いもんだから、お酒の「さかな」は、「およげ！たいやきくん」よろしく食膳《しょくぜん》から遥々《はるばる》海まで飛んでって、「うお」を駆逐して魚類の一般名称になってしまった。大した経歴だ。まるで生きた鶏を指して、「あっ、ケンタッキー一羽いるよ」とか、牧場を見学して、「さくら肉が嘶《いなな》いている」などと言うようなもの。

このように食卓から進出した「さかな」の普及の結果、老舗《しにせ》の「うお」の方は使用範囲が大分狭まってきた。少なくとも標準語では、「このうおはうまいわぁ！」などとはあまり言わない。「うお屋」に「うお」を買いに行く人もまずいないでしょう。「うお」は決まった単語や言い回しでしか使わなくなった。「魚座」「魚の目」「魚河岸《うおがし》」「水を得た魚のようだ」

「さかな」のこの系譜は、独特の食文化に根ざした日本ならではのもの、と人は思うかも知れない。しかし偶然もあるもんだ。実は今日のギリシア語の「魚」という意味のことばだって、調理したものから逆行して生き物へと、全く同じルートをたどっている。「プサリ」と言うが、語源は「おかず」「おつまみ」等という意味の古代ギリシア語。ギリシア人のおかずの代表選手が魚ということで、いつの間にか「魚」そのものを指すようになった。その過程で、「魚」を意味した本来の由緒《ゆいしょ》正しきことばに取って替わってしまった。「さかな」と「うお」の関係そっくり。

ところで、私は和食には目がないが、ギリシア料理も大好物。食いもんへのこだわりが言語にまで反映される文化の料理はやっぱりうまい、ってことか。

昔の日本語にも、食い物と生き物を同一視した面白い例がある。日本人は古来、肉をあまり食べてこなかったという固定観念があるが、実は長い間、鹿《しか》や猪《いのしし》を狩って、その肉をしょっちゅう口にしたと読んだことがある。それで、食用にしてた動物をまとめて「獣《しし》」と呼び、「猪《い》の獣《しし》」「鹿《か》の獣《しし》」などというふうに区別したそうだ。一方、そういった動物の肉もそのまま「しし」と言った。「肉」という字を漢和辞典で調べてみると、なるほど「ニク」は音読みで、訓読みは「しし」とある。ということは、古《いにしえ》の日本人は、バンビたちを、山を走り回っている状態の食肉ぐらいにしか思っていなかったのだろうか。日本人の食いしん坊のルーツは意外と深いかもね。

そしてやはり、普通の日本語の中にも、食べることや調理から取った比喩《ひゆ》的な言い回しが結構多い。たんまり儲《もう》けられそうな相談をもちかけられたら、そりゃ「おいしい」話。与党とコネを持っている業者は「うまい汁を吸っている」。でもカネをばらまいて便宜を図ってもらったことがばれたら、ちょっと「まずい」。

最近日本でサミットを開催したが、その「お膳立て」は大変だっただろう。やってもみないで最初っから嫌だと決めつけるのは「食わず嫌い」。一度「苦い」経験をして、ばかに用心深くなったら「羹《あつもの》に懲《こ》りて膾《なます》を吹く」という。

いやな野郎にカッとなったら「くそくらえ！」とののしる。でも、そんないい方はやはり「後味が悪い」。

「口直し」に、というわけじゃないけど、実は英語でも例えば、「船頭多くして船山に上る」を、「シェフが多すぎるとスープ・ストックをだめにする」という。中国語で「亀《かめ》の甲より年の功」に当たるのは、「しょうがは古いのが辛い」だって。食うのは大事だもん、ことばに大きく反映されるのも当然なことだろう。

品詞の相互交流

だいぶ前の話になるが、まだ留学生のころ、友達同士でお喋《しゃべ》りをしていた。他にも外国人がいて、その中の一人がこんなことを言った。

「いやー、このあいだお酒を飲み過ぎて、次の日は二日よかった」

すると周りはしーんとした。

「二日酔いだった」と言いたかったのだろうが、名詞の「二日酔い」はたまたま「い」で終わるから、形容詞と勘違いして、活用してしまったわけだ。ところで、初

そこでアニキが事故ったって
っっっ
事故にあったの？
おこしたの？
それどころじゃないだろっ

心者にとっては、日本語の形容詞はひねくれ者。私も昔、例えば「おもしろかった」が正しいと理論上はわかっていながら、潜在意識の中の英語が邪魔して、つい「おもしろいだった」と言いそうになったりしたものだ。しかしやっと「おもしろかった」がスムーズに出るようになったら、今度は「二日酔い」や「おっちょこちょい」のような紛らわしい連中に足をさらわれてしまう。語学ってそういうもん。

それはさておき、「二日酔い」を活用してしまう日本人はさすがにいないだろうが、若者の間では少し似た現象が見られる。「あいつみたく、お酒飲んだら頭いたくなんないわけない」とか。つまり「のような」という意味の「みたい」を、半ば形容詞としてあしらっているのだ。これも氷山の一角、本来の品詞を変えてしまうのは決して珍しいことじゃない。

英語出身の名詞「トラブル」は、語尾がちょうどうまい具合にラ行動詞の活用表に納まるから、いつの間にか動詞になってフルに活用されているのも極く自然な成り行きだろう。「トラブらない」「トラブります」「トラブる」「トラブれば」など。「ダブる」もこれに準ずる。両方とも広辞《こうじ》苑《えん》に載っていて、りっぱな動詞としての市民権を取得ずみ。ところで、そのまま活用できないものは適当に「る」をくっ付ければいい。「サボタージュ」の「サボ」から来た「サボる」とか。

動詞にわか変身した体言もあれば、活用不全に陥ってしまった用言もある。「すごい」は形容詞で、標準語では「すごい」「すごく」「すごかった」といく。ある世代以下ではしかし、「すごい」は副詞「すごく」を兼任。「すごい忙しい」。偶然、英語の俗語でも、「すごい」に当たる形容詞は全く同じ運命をたどっている。「ａｗｆｕｌｌｙ ｂｕｓｙ」は「ａｗｆｕｌ ｂｕｓｙ」となる。

ついでに言えば、ことばの品詞を勝手に切り替えるのは広告業界の常套《じょうとう》手段。「うまいのために」や「きれいをみがく」のようなコピーはテレビや雑誌に溢《あふ》れている。しかし人為的な色が濃く、そんな日本語がはたして、「あいつみたく」や「すごい忙しい」のように、広く定着するかは、かなり疑問だ。

とにかく「こんなざまじゃ世も末」と悲観される方もおられるだろうが、安心してください。こういった品詞の変更は、新しくもなければ、日本語の退化を示す現象でもない。現代語の「異なる」だって、ナリ活用の形容動詞「異《こと》」が動詞に転職したやつ。また、「独り言」を活用して、「ひとりごつ」という例も古くからある。

永遠の日本語の乱れ

そう言えば、日本語の乱れが嘆かれて久しい。いや、久しいどころじゃない。鎌倉末期、吉田兼好は『徒然草《つれづれぐさ》』で、「日常のことばはますます情けなくなってゆく」と憂慮した。火をかき立てろという意味で、「かきあげよ」と言うなど、とんでもない。「火かかげよ」がよろしい、とか。真言宗には、火を焚《た》く「護摩《ごま》」という儀式があるが、「護摩する」が正しいんで、「護摩焚く」と言うはわろし、とか。『徒然草』は世界文学を飾る名作。だがこういう主張だけは、現代人にはどうもぴんとこない。数百年後に、平成時代の「日本語の乱れ」思想を研究する物好きな学者がいたら、同じように首をかしげるだろう。「ら」を一個抜かしたぐらいで、なぜ当時あんなに騒いだか不明。それまででも、日本語はずっとぽつっと音節を落としてスリム化してきたのに。その随分前、「ら」のお隣さん「り」だって、動詞の活用表から追放されてしまっていた。過去形「見た」は「見たり」の省略。だが誰も「り抜きことば」として告発しなかった。どうして「ら」だけが特別扱いを受けたのだろう。当時の日本文化における「ラーメン」の絶大なる地位と関係していたかとも思われる。

「犬にえさを上げる」のような表現も、一部の平成人の間で耳障《みみざわ》りとされたようだ。「畜生なんかに敬語を使うことはない！」というのがその理由だったらしい。しかし「上げる」同様、親しみが尊敬に取って代わった敬語は他にもあった。しかも、「犬にえさを上げる」を弾劾《だんがい》しそうな当のおじさんたちこそ、それを喜んで使った。「ことばをちゃんと使いたまえ」

「日本語の乱れ」は、日本語の変化をその時代の主観で否定的に捉《とら》えたに過ぎない、という見方もできるわけだ。万一日本語が「乱れ」なくなったら、そりゃもう、日本語が死んだことを意味するだろう。

もちろん、当研究室としても、どっか気になるな、と引っかかっちゃう日本語が全然ないわけじゃないけど……。

第二部　その言い方は気になる

全国各社共通
簡単楽々社長さんの挨拶《あいさつ》

のべつ日本語に接している翻訳家として、必ず感動してしまうことがある。

例えば、マーケティング用プレゼンテーション資料を英語に訳しているとします。化粧品、金融商品、情報技術に自動車、どの資料も、読めば読むほど、どこか妙に似ている。同じ人物が書いたんじゃないかと疑りたくなるぐらい。

地元の人しか聞いたこともないような片田舎の観光パンフレットなんて、固有名詞や料理名だけ入れ替えれば、全国どの市町村でも使えそうな気がする。

だがいちばん目に余るのは社長の挨拶文。訳していると、過去に何回も何回も同じ文章を訳したような気がしてならない。文体も、内容も、見間違えるほどよく似ている。ワープロの検索置換機能を使って、社名と業種さえ入れ替えれば、どんな会社の社長挨拶文としてでもそのまま生かせそう。

こういった書き方には確かに、それなりのメリットもある。世の社長さん達はなにしろ忙しいもん。書いている側も作文に骨を折らなくてすむし、読んでいる側だって、意表をつかれる文節に出会う心配も全くない。その意味では、まことに人に優しい文章術ではある。

それにしても、この言葉の画一性、身の毛がよだつ恐ろしさだ。

私は永年、あくびを必死にかみ殺しながら、こんな型にはまった退屈な日本語と格闘してきた。時々小説でも読まないと、日本語が世界で最も語彙《ごい》の少ない、表現力の貧しい言語ではないかという錯覚さえ起こしそうになる。やはり連中に任せたんじゃ宝の持ち腐れ、日本語の救出作戦に出よう！　とも考えたが、私風情《ふぜい》では無理と諦《あきら》めざるを得ない。

そこでもう悩まないことにした。

連中が金太郎あめ式の日本語がそれほど好きだというなら、いっそのことジャンル別の様式をしっかり決めておいて、文面を完全に標準化して、日本工業規格に加えたらいいじゃないか。国語審議会に和文書類規格化委員会かなんか設けて、各界の識者を集めて文案をまとめてもらえばいいでしょう。全国の企業に配付して、時代のニーズに合わせて随時アップデートする。

こんな感じで――

和文書類規格化委員会推薦和文ひな型九の二

代表取締役挨拶文（アニュアルレポート等用）（JIS W8992）

代表取締役挨拶文は、以下の必須《ひっす》基本語彙・フレーズ等を盛り込まなければならない。

・「社員が一丸となって」
・「○×元年」
・「グローバル化」あるいは「グローバリゼーション」
・「ユーザー」
金融・家電メーカー・食品・風俗など、業種にかかわらず、顧客を指す単語はこれに統一すること。
・「取り組み」あるいは「対応」
より具体的な表現を避け、どちらかに統一すること。

・「□を取り巻く環境」及びそれを受けて「こうした環境の中」（係り結び）

・業種を表現する文節として、「□を通して社会に貢献する」

・「企業価値」あるいはそれに準ずるわけのわからない熟語（四字熟語が望ましい）。

・「使命」
ただし、会社としての真の使命、つまり利益を上げることへの直接の言及は避けること。

・「透明性」あるいは「地球環境保護」のいずれかあるいは両方とも。各社の諸事情に照らし合わせて選択するものとする。最近キックバック・総会屋へのお支払いなど、スキャンダル歴のある会社は「透明性」、環境汚染の実績のある会社は「地球環境保護」を利用のこと。

・「21世紀を迎えて」（二〇一〇年以降の方針については現在検討中）
また、「21世紀」を文脈とは関係なく随所に挿入すること。なお、同「21世紀」にあやかって、最低一つ、数字「21」を含む運動名も掲げること。方式はカタカナ＋「21」＋「運動」（「活動」「計画」「キャンペーン」等も可）例　「グリーン・ピープル21運動」「スピード・インテグレーション21キャンペーン」等等。

・時代名。平成十三年三月現在「IT時代」
ただし、時代名は年々の流行・趨勢《すうせい》などによって頻繁に変わるもので、随時新時代名を通知することとする。（参考）時代名の過去の実績「国際化時代」「マルチメディアの時代」「インターネットの時代」

・「□を企業理念として」
空白に、十五文字以内の無意味なキャッチ・フレーズを入れること。なお、キャッチ・フレーズの作成については各社の任意とする。ただし、和文書類規格化委員会に届け出のこと。

・「□をめざす」
空白に会社の未来像をできるだけ長い（最低三ワード以上の）カタカナ・フレーズとして表現すること。例「ワールド・トップ・リーディング・ファイナンシャル・バンキング・カンパニー・グループをめざす」（銀行用）「ソリューション・アンド・システムズ・ベスト・パートナーをめざす」（情報機器メーカー用）等々。なお、語順は問わない。

加えて、カタカナ含有率は最低5％とするが、できるだけ多い方が望ましい。
ローマ字はなお可。

代表取締役挨拶文は、以上の諸基準に適合するものであり、かつ、次に掲げる標準例文との誤差は10％以内でなければならない。

記

ごあいさつ

（アニュアルレポート等名）の発行に当たり、ごあいさつを申し上げます。当社は、〇〇〇〇年の創業以来、永年（業種を指すフレーズ）を通して社会に貢献してまいりました。しかしバブル崩壊後の今、（業界名）を取り巻く環境はかつてないほど厳しいものとなっています。わが国経済は上向きつつあるとはいえ、まだ本格的な回復軌道には乗っていません（注　当記述は景気動向等によって随時修正・通知する。ただし、当分の間はそのまま利用可能と思われる）。こうした環境の中、当社は本年度を経営再建元年と位置づけ、赤字体質からの脱皮を図り、経営の健全化に取り組む決意です。21世紀。ＩＴ時代と言われる今日、インフォメーション・テクノロジーは企業経営に欠かせないものとなっています。その中、当社は「○×21運動」の理念に添って、カスタマー・リレーションシップ・マネージメント、ロジスティクスの効率化、ＪＶ・Ｍ＆Ａを含むアライアンスの戦略的活用、データベース・ネットワークによるコミュニケーション・チャンネルの積極的導入、トータル・システム・インテグレーション等を通じて、（会社の未来像を示す三ワード以上のカタカナ・フレーズ）をめざします。

ますます進展するグローバル化（「グローバリゼーション」も可）の中、当社は社会の要請に応じ透明性の改善を図り、Supersustainable Earth Resource Developmentへの対応など、地球環境保護に配慮しながら、ユーザーの真のニーズを的確にとらえることを使命といたします。21世紀。このように、本当の意味での「企業価値」を高めることができると確信しております。

21世紀を迎えて、当社は社員が一丸となって、（十五文字以内の無意味なキャッチ・フレーズ）を企業理念として飛躍する所存です。

（社名）代表取締役社長　（社長名）

（社長の写真　高齢化社会にふさわしい人物とする。ハゲはなお可。なお、女性、若年層は避けること）

以上

まあ、大体この調子ですね。

ただ、もう一つ気になることがある。世の社長さんやゴーストライターは、一体誰がこの挨拶文を読んでると思ってるんだろう。

英文に訳しているこの私以外に、読んでる暇人がいるんだろうか……。

忌《い》み言葉「平和」

昔伊勢《いせ》神宮で、「僧」という仏教用語を避け「髪長《かみなが》」と言ったそうだ。今でも理髪店に行けば髭《ひげ》を「当たって」もらって、赤ちょうちんで酒を飲めば肴《さかな》に「あたりめ」を出してもらえる。何となく不吉そうな「剃《そ》る」「するめ」を嫌った言い回しだ。以上はすべていわゆる「忌み言葉」だ。ハゲの前で「光る」や「薄い」を努めて口に出さないようにするのもちょっと似た現象かもしれない。

でも戦後日本の最も代表的な忌み言葉はもしかして、「戦争」を「平和」と呼ぶこと。

私の国カナダのほとんどの都会へ行っても、第一・二次世界大戦の戦没者を悼《いた》む「戦争記念碑」が建つ。数年前シンガポールに旅行した際、日本の占領下で殺された市民を追悼する「ウォー・メモリアル・パーク」(戦争記念公園)に立ち寄った。翻《ひるがえ》って日本。この種の施設は必ずと言ってもいいほど「平和」という字を冠する。広島の「平和記念公園」。長崎の「平和祈念像」。「戦争記念」なんて戦後日本の感覚からすると物騒な言い方だから「平和記念」や同音の「平和祈念」に落ち着いたのだろう。だが事実、例えば広島の「平和記念公園」は決して「平和」を記念するのではない。「戦争」という愚行の悲惨さを記念するのだ。「平和教育」も、本当は戦争のことを若い世代に教えるのを目指す。

戦争と少しでも関連する話題になっても話がすぐぼやかされてしまう。この国の軍隊は「自衛隊」。日本が敗戦した日は「終戦記念日」。リマの日本大使公邸占拠事件が長引いていた九七年二月、外務省はそれまであるスペイン語の訳語として使っていた「武力行使」を「実力行使」にトーンダウンした。そして「実力行使」によって解決してみれば、人質がほぼ全員救出されたのだからある意味では「平和的解決」ではないか、という声すら聞かれた。すべて一種の忌み言葉なのだ。

「平和国家」と自称する日本。これも単なる忌み言葉に終わらなければいいのだが。

勉強しなくても「頭のいい人」と評判になる文章術

勉強している人の中には、純粋に賢くなろうと思っている人もいれば、単に自分を「賢い」と思わせたい人もいるでしょう。本当に賢くなりたいなら、そりゃもう一生懸命努力するしかないでしょう。でも、狙《ねら》いがあくまで「頭いいね」と周りにほめられることなら、ことはずっと簡単。
どんなにわかりきったことでも、非常に難しく、複雑に表現するだけで、かなりの人をごまかせますよ。

実は、この技能を最も高度に発展させているのが、日本一の優等生集団、霞《かすみ》が関《せき》の日の丸官僚たち。東大法学部を出る必要なんかない、彼らの文章術さえ身に着ければ、あなたもすばらしい知性の持ち主だと感心される……かもしれません。

何を隠そう、この官僚ことばのコツ、十五分もあればマスターできます。とにかく語彙《ごい》力が要りそうですが、意外とそうじゃないんです。役人たちは限られた抽象的で退屈な語彙のレパートリーを繰り返しこき使うことによって、かえって学者顔負けのかたい、かた〜い文面をこしらえています。

役所用語人気ナンバーワンは、紛れもなく「整備」。官界では、何をやっても「整備」と呼びたがるのです。凡人なら「パソコンを買ってくる」と言うところ、役人は「パソコンの整備」と言います。道端に木を植えるのは、霞が関近辺では「街路樹の整備」になります。「働き口を増やす」ではわかりやすすぎる、「就業機会の整備」と気取らなきゃ。そして建設行政ご自慢の「海岸の整備」。これは、日本列島の海辺をそっくりコンクリートで覆《おお》って自然の面影さえ残さない、という意味です。

「整備」のこの頻出ぶりを考えたら、官僚ことばそのものを「整備文」と名付けても異論はないでしょう。

引っ張りだこの味気ない単語は他にもたくさんあります。例えば、「人」なんて言ったら生身の人間の話をしているんだということがあまりにも露骨なので、「主体」のほうが好まれます。管理する人は「管理主体」、経営する人は「経営主体」、販売する人は「販売主体」。じゃ、「恋人」のことは「恋愛主体」とでも言うのでしょうか。「場所」もいやに具体的だから、「空間」とぼかしたいものです。住む場所じゃなくて「生活空間」、遊ぶ場所じゃなくて「余暇空間」、という調子で。

また、何音節にもわたる意味不明の片仮名は特に難しそうで、「スゲーな」と読んでいる人を感激させる効果をあげます。だから、「事業用地のアベイラビリティ向上」「創造的革新のインキュベーター」「展望の主なインプリケーション」みたいな物々しいフレーズを文章のところどころに散らしたほうが一層エフェクティブです。

なお、詳しく勉強されたい方は、別表「整備文体・口語体対照表」(次ページ)をご参照ください。

さて、以上の基本を押さえたら、あなたもかの優秀な官僚たちが専門とする、さっぱりわからないからこそ大変奥の深いことを言っているんじゃないかなと思わせるよ

整備文体・口語体対照表

整備文体	口語体
特定商業集積	ビジネス街
過度な母子の密着	マザコン
非自発的離職求職者	クビになって仕事にあぶれている人
語学学習意欲の高まり	外国語ブーム
在宅保育サービス事業者	ベビーシッター
各主体の自主的対応尊重	みんな勝手にやればいい
緑資源の基盤が脆弱化《ぜいじゃくか》する	緑が少なくなる
痴呆《ちほう》による徘徊《はいかい》行動がある	ぼけてうろうろしている
外国人旅行者への対応能力を整備する	簡単な英会話を身に着ける
人的資本の流動性の拡大のため、環境整備を行う	転職しやすくする
平均的な勤労者の良質な住宅確保は困難な状況にある	普通のサラリーマンは家を買えない
円滑な垂直移動ができるよう、施設整備を進めていく	エレベーターを入れる
住宅のあり方が夫婦の出生行動に大きな影響をあたえている	うちが狭いから子供はもうつくれない
自然ふれあい型の余暇活動への志向が高まってきている	外で遊びたい人が増えた
(政治家による整備文の応用例)制度を整備した上で措置する	少しあとでやります

※これらの例文は決して私が勝手に作ったものではなくて、すべて実際の役所書類から引用したものです。

うな堅苦しい日本語が書けるようになります。

いかにも身近なものでさえ、ちょっとの工夫で霞が関調に衣替えさせることができます。

「鉛筆を削る」なら「抹消可能型手動式出力装置については、その事前整備を図る」、「ぼく、ちびっちゃったの？」なら「要確認、特定主体による幼少性小便漏洩《ろうせつ》事件発生の有無」という具合に。

少し感じをつかんだら、日本文学の名文でも、役人ことばに訳してはいかがでしょう。

吉田兼好『徒然草《つれづれぐさ》』序段

〈原文〉

つれづれなるままに、日暮らし、硯《すずり》に向かひて、心にうつりゆくよしなしごとを、そこはかとなく書きつくれば、あやしうこそものぐるほしけれ。

〈整備文訳〉
余暇時間の無効消費を進める過程において、一日当り、平均労働時間に相当しまたは超過する期間にわたって、自然発生する感想・見解等知的諸作用の雑録を、インキ加工蓄積機能をふくむ旧式筆記用具の利活用によって無作為に整備していることを背景に、分析困難な異常心理的症状が生ずる傾向が確実に認められる。

私も、余暇時間の無効消費を進めてパソコンに向かってこれを書いているうち、分析困難な異常心理的症状が生ずるような気がします。

清少納言《せいしょうなごん》『枕草子《まくらのそうし》』第一段より

〈原文〉
春はあけぼの。やうやうしろくなりゆく山ぎは、少しあかりて、紫だちたる雲の、細くたなびきたる。

〈整備文訳〉

春季活動の中では、未明に起床の上、早朝の自然環境の観察・観賞及び享受《きようじゆ》を行うのがホモ・サピエンスにとって最も適切かつ有益なものと思われる。地形の起伏が顕著な山岳地帯において、漸次《ぜんじ》白色化するスカイラインが肉眼でもやや認識可能となり、気象条件としては、日の出に伴う可視光線に照射された絹雲《けんうん》等が頭上に位置する、という景観を例に挙げることができよう。精神的な豊かさの充実の促進を図るファクターとして、かかる視覚的体験及びそれに伴う内心の主観的・情緒的反応が日常生活の中で極めて重要性を有するものになっていると言えるであろう。

『平家物語』の冒頭

〈原文〉
祇園精舎《ぎをんしやうじや》の鐘の声、諸行無常《しよぎやうむじやう》の響《ひび》きあり。娑羅《しやら》双樹《さうじゆ》の花の色、盛者必衰《しやうしやひつすい》の理《ことわり》をあらはす。おごれる者も久しからず、唯《ただ》春の夜《よ》の夢のごとし。たけき者も遂《つひ》にはほろびぬ、偏《ひとへ》に風の前の塵《ちり》に同じ。

こんなきれいな日本語でさえ、整備文に直すと――

〈整備文訳〉

某宗教法人による教育放送を中心に示唆《しさ》されているように、情勢や環境の悪化、退化、激動化等の変化が、人生、人間社会をはじめ、宇宙空間を形成する諸現象に随伴する不可避なファクターであると考えられる。現時点では指導的地位にある各政治・経済主体が整備している絶対優位についても、将来的には後進化、劣後化に転ずる必然性を内包していることは、以前から指摘されている通りである。自信過剰により、各自の活動分野におけるヘゲモニーが長期間にわたって持続不能となるパラダイムが支配的であり、究極の結果としては、その優勢が全面的に排除される傾向が認められる。

こんなのをすらすら書けるようになったら、「賢い」という評判を手に入れることができるのではないでしょうか。少なくとも、この国の官僚たちは、ずっとこんなのばっかり書き続けてそんな評判を守り通してきたのです。

誤解も方便？（一）

面白い誤解もあるもんだ。明治憲法の発布に当たり、「絹布《けんぷ》の法被《はっぴ》」を賜《たまわ》ると思い込んで喜んだ人もおったそうな。今なら誰もそんな単純な勘違いはしないだろう。それどころか、数年前、お上が「地域振興券」という名の商品券を賜ると聞いて、一瞬耳を疑ったぐらい。

それはそうと、今の世の中、単なる聞き違いはあまりなくても、言葉の意味を変にねじ曲げることが多いのでは。

九七年九月。佐藤孝行《たかゆき》という自民党の大物議員は橋本改造内閣の総務庁長官として悲願の初入閣を果たした。それまで閣僚ポストをなかなか射止められなかったのには一身上のちょっとした事情があった。周知の通り、ロッキード事件で収賄《しゅうわい》罪の有罪判決を受けちゃった経歴の持ち主だ。犯罪者に対する風当たりが強い中、このハンディをやっと克服したわけだが、就任の記者会見でその前科について聞かれ、「過ぎたるは及ばざるがごとし」とかわした。

「過ぎたるは及ばざるがごとし」とは『論語』のことばで、もちろん「行き過ぎは足りないのと一緒で、どっちもよくない」みたいな意味だ。佐藤新大臣はしかし、全然違うニュアンスで使った。「過ぎたことは追及するに及ばない」と言いたかったらしい。漢文の名言の、画期的とでも言うべき大胆な再解釈だった。どうしてもことわざの援助を借りたかったら、「盗人《ぬすびと》にも三分の理」の方がぴったりだったような気もするが。

ひねった格言の力及ばず、橋本総理は結局、泣いて馬謖《ばしょく》を斬《き》るはめになっちゃった。誤解があるといけませんので、惜しい部下を首にするということですね。

九八年秋。国会の証人喚問のテレビ中継がやっと解禁になった。自民党は証人の「人権」を盾に、これにかなり抵抗したらしい。慰安婦問題への鈍感さなどでも明らかなように、普段は人権に大変疎《うと》い自民党だが、ここでいきなり人権にこだわり出したのは一体なぜだろう？　げすの勘ぐりかもしれないけど、情けは人のためならず。大体証人喚問されるのは自民党の重鎮か、さもなければそれに政治献金をしている大企業のトップ。全国のブラウン管に映ってボロを出したくない気持ちはわかる。だがはたして「人権」の問題だろうか。

とがめられたら、妙にへそを曲げてつい言葉を誤用してしまうのも困ったもんだ。九七年にはこんな事件があった。朝日新聞が産業廃棄物処分場の建設問題に関連して、

『赤い靴』という
唄の中の
「異人さん」を
「いいジイさん」だと
思っていました。
よしよし
行こうな

岐阜県の対応を責めた。「民主主義を勉強し直した方がいい」などと、かなり厳しい口調だった。すると、県側は「誹謗中傷《ひぼう》」だと憤《いきどお》り、報復措置として、県庁などの朝日新聞の購読部数をぐんと減らしてしまったのだ。

朝日新聞の主張が正しかったかどうか、当研究室においては測りかねる。しかしこれだけは言える。間違っていると思う指摘に対しては正々堂々と反論するのが筋だろう。感情ばかり高ぶって、「批判」と「誹謗中傷」との区別ができなくなったんじゃ、議論を封じ込めるだけなのだ。やはり言論の自由ぐらいは勉強し直してもらった方がいいかもね。

言葉を曲解した特に興味深い例として、当時民主党の「代表」だった菅直人《かんなおと》さんに致命傷を与えてしまった九八年のいわゆる不倫疑惑をめぐる一連の報道がある。周知の通り、菅さんはそれ以前、厚生大臣の時、薬害エイズ事件で官僚が握りつぶした情報を公開し、大きな手柄を立てた。マスコミの一部ではそれにあやかって、やったのかやっていないのかという「情報公開」を菅さんに迫ったわけだ。ワイドショーなどで言うところの「激白」だろう。

しかし民主主義における「情報公開」とは、週刊誌やワイドショーが出歯亀《でばかめ》となって、政治家の私生活を覗《のぞ》き込むことだったっけ。行政の持っている情報を、市民が知る権利だとてっきり思ってたのに。政治家の懐《ふところ》を監視する必要はあっても、その下半身まで見せ付けられたらたまらんわ。

なお、「疑惑」そのものの真偽については、当研究室の研究対象外ですので、その旨《むね》申し添えておきます。

とにかくこのままじゃ日本も「情報公開」先進国アメリカみたいになりかねない。ちょうど同じ時期でしたね、国政の大事はどこ吹く風、議会もメディアも国民もかの精力絶倫なクリントン大統領の性生活一本やり。失礼、一点張り。

口直しに、面白い勘違いをもう一つ。今度は文学の世界から。魯迅《ろじん》の名作『阿Q正伝』は清《しん》代末期の話だが、こんなエピソードも。「自由」という概念すら知らない村人たちは、「自由党《ズヨウダング》」を「柿油党《シヨウダング》」、つまり柿《かき》の油の党と誤解してしまった。人間はやはり、どうしても自らの目の高さ、または低さで言葉を理解するのだろう。

自党自賛

選挙の季節は、政党がどのようにしてことばを駆使して自己宣伝をしているかという、日本語の操り方の見頃。最近の二つの選挙をまな板に載せて、永田町の美辞麗句を科学しましょう。

先《ま》ず、九八年夏の参院選。ここ数年、政界の離合集散があまりにも激しくて、「いつからいつまで、どことどこがくっついたっけ？」とこんがらがっちゃっても無理はない。そこで時の状況を整理しておくべきだろう。何代か前の総理・橋本龍太郎率いる自民党は単独で政権を握っていて、参議院での過半数割れ返上に挑んだ。対抗するは菅直人を「代表」にいただく民主党。公明党や自由党も野党側に属し、自民党への攻撃に加わった。崩壊寸前の日本経済が不気味な背景をなしていた。

さて、自民党はその頃、一言型の外来語スローガンに凝っていたようだ。選挙前から「ＯＰＥＮ」と自称し、参院選を以《もっ》て「プラス」にくら替えした。ともに面白い特徴がある。現実のちょうど反対だったのだ。自民党は当時も今も、「開かれている」どころか、派閥の論理に相変わらず支配されている閉鎖的な連中。そしてどんな指数を見ても、橋本政権の政策はマイナスに終わってばっかりいた。不支持率以外はね。同じ要領でスローガンづくりを続けたとすれば、どんなのが登場したのだろう。「クリーン」か？

それはそうと、「プラス」というキーワードを通じて、自民党は具体的に何を訴えたかったのか。ＣＭにて当時の橋本総理曰《いわ》く、

「日本は、ほんとにダメな国なんでしょうか。私はそうは思わない。今必要なのは、できると信じるプラスの気持ちです。この国をプラスに変えるために」

悲観論が暴走する中、一見うなずけそうな議論だったが、ちょっと待ってくださいよ。何を「プラス」に変えたがっていたかと言うと、まず皆さんの「気持ち」なのだ。現状に不満じゃ、現政権に清き一票を投じるわけないから。

だからどうやってこの日本を「プラスに変える」かという肝心な中身はあまりなかった。「グランドデザイン21」と銘打って、「日本を〝ヒトが財産〟の国にしたい」とか見得を切ってはみたものの、大改革の青写真からは程遠いものだった（奴隷《どれい》制じゃあるまいし）。デフレや円安や株安などで、そのままじゃそれこそヒトぐらいしか財産のない国になりかねないていたらくではあったけど。

民主党の主張は「変えたい」という一言に尽きたが、何を変えたいのかという目的語は今一つはっきりしない代わり、誰が変えるのかという主語はとにかく明確そのものだった。人気絶頂の菅直人のどアップ、「私は変えたい」というコピー。

公明は「福祉と大減税」と二股《ふたまた》をかけ、「ヒューマニズムの政治」を標榜《ひょうぼう》し、「ひとりの声を大切に」とのキャッチ・コピーを披露した。「ひとりとはもしかして、池田大作のことかい」とおちょくりたくもなったが、どうやら「ひとりひとりの声を大切に」という意味だったらしい。そうならはっきりそう言えばいいのに。

共産党は「不況打開へ」ということで「消費税をまず3％に」と主張したが、その「まず」が引っかかる。消費税をまず3％に戻す。それから何をする？　究極的に廃止する？　それとも次の景気対策を打つ？　政権の座に近づくにつれ、曖昧《あいまい》さが要求される。

そして社民党。全くなくなった存在意義を訴えるのは至難のわざだったと想像される。その苦しさはビラなどのキャッチコピーにも見え隠れする。

「野党のときも、与党のときも、そして今、野党になっても、自民党の暴走を許さず、国民本位の政策を実現」

表現の回りくどさには、迷走してきた軌跡が端的に現れている。正当化するには詭《き》弁《べん》しかなかった。

「社民党は自・社・さ連立政権で、パワー不足の野党に代わって自民党の暴走を食い止め、弱者に厳しい新保守勢力の台頭を防いできました」

社民党が自民党に寝返ったからこそ、反自民政権が「パワー不足の野党」に落ちぶれちゃったんじゃなかったっけ。

選挙の結果、自民党はプラス思考が不発に終わって惨敗《ざんぱい》。民主党は菅ブームにすべてをかけた戦略が成功し躍進。橋龍は責任をとって降板、代わって冷めたピザこと小《お》渕《ぶち》恵三が首相の座につく。そして、これほど期待されない総理大臣がいるかとあきれるぐらい期待されない中、いつの間にやら自由党・公明党を丸め込んで、強力な政権基盤を築き上げる。一方、絶頂だった菅人気にも陰りが見えてきて、鳩山《はとやま》由紀夫が民主党代表に。

そのうち自由党は政権離脱をめぐる騒動のすえ分裂、政権に焦《こ》げ付いた部分は保守党に衣替え。小渕首相がそのごたごたの犠牲となって斃《たお》れる。党内の人材不足がよっぽど深刻だったとみえ、森喜朗が自・公・保三党に支えられ後釜《あとがま》に。

そして二〇〇〇年六月、いよいよ衆議院選挙に突入。「日本は天皇を中心とした神の国」など、総理の時代錯誤的な発言が不気味な背景をなしていた。

さて、自民党はこんな標語を披露した。

「21世紀へ

ニッポン回復」

国号をわざわざ片仮名で記して、「ニホン」じゃなく、力強い、詰まった破裂音「ツポ」を強調しているのが先ず目に付く。「21世紀」への言及は、陳腐そのものながら、ちょうど二〇〇〇年ということで一種の必然性があった。

もっとも興味深いのはしかし、「回復」という用語の選定だろう。「景気回復」という意味合いも込められていたが、それだけじゃないだろう。「改革」などを避けて、古きよき時代を振り返った「回復」にこだわったのは、過去の体制や既得権にしがらみの多い自民党らしい。森首相の復古的な発言にもぴったり共鳴した。このスローガンを見る限り、自民党の描いた「21世紀」像は戦後「ニッポン」の改訂版程度か。うまく実現できれば、それも悪くはないかも。柳の下のドジョウに終わらなければね。かといって、大胆な公約を全然しなかったわけじゃない。それどころか、どう実行するかを説明することなく、きれいごとをずらりと並べた。

「いじめや暴力を教育の現場から一掃します」

「環境にやさしい資源循環型社会を実現し、美しい国土を誇ります」

などなど。

反面、野党の大胆な公約をこう当てこすった。

「実現不可能な夢物語ばかりの政党に、景気対策を任せられますか」

「あんなやからに政権を取らせたら経済は大丈夫？」

と有権者を脅すのは自民党のかねてからの手だけど、「夢物語」とは、目《め》糞《くそ》鼻糞を笑う。

　こんなのも。

「批判や反対をするためだけに徒党を組んだり、議論のための議論を繰り返すだけでは、確かな将来像は見えてきません」

　反対のための徒党はだめだが、半永久的に政権の座に居座るためなら、社会党、さきがけ、自由党、公明党に保守党と、次々と相手を替えて乱交しても差し支えないらしい。

　民主党は前回功を奏した「変えたい」路線で再び行った。

「あなたが動けば、日本が変わる。変えたい人の民主党」

「変えたくない人は自民党」と言い足してもよかったかもね。実は、それに近いことを仄《ほの》めかした。

「このままを続けるのか、これからを変えるのか」

　語呂《ごろ》がいいと言えば語呂がいい。ただ、個人的なこだわりだろうけど、気になることがある。コピーライターが考え出しそうな、奇抜な日本語ではないか。市民を単なる消費者として扱って、政策や国のビジョンまでトイレットペーパーや洗剤と同じマーケティングの手法で訴求するのは、どうも引っかかっちゃう。

こんな例だってあった。

「わたしは民主党です」

代名詞の用法に注意しましょう。あえて訳せば「あなたは民主党です」という意味になるだろう。こうして「わたし」「私」などを二人称として使って、何気なく人の思考を誘導するのも、広告業界の手口。

「新しい時代を、あなたと共に」

と自分をアピールする候補者までいた。消費者金融かなんかの宣伝か。

政官業の癒着《ゆちゃく》に厳しい姿勢を取ってみせる民主党の皆さんだが、ことばの面でも「政」と「業」の区別をくっきりさせたいですね。訴えているものの重みだって違うんだから。片やただの商品、片や国家の大計じゃないか。

それともそんなのは、私の思い過ごし？

野党の共同戦線から自民党に寝返った公明党は、社民党の二の舞を踏んだ以上、やはりその変節を正当化する必要に迫られた。社民党ほどのいいカモじゃなかったにしろ。そこで繰り出したキャッチ・フレーズは、

「『政治の安定』と『改革』をめざす」

「政治の安定」とは、自民党と組んでその政権基盤を強化すること、「改革」とは、

その見返りとして、「地域振興券」に代表されるような、公明党の穴場的な政策を実行してもらうことを指すのだろう。こんなのを称して、

「結果を出す政治」

とも言った。けれどもこの政治が最終的に出した結果は、自民党の長期支配の更なる延命。

九八年の参院選で消費税の即時減税を唱えた共産党はその主張から一歩下がった。取りあえず、

「消費税の大増税は許しません」

じゃ、小幅な増税ならいいのかな、とつついたら、いや、それも「許しません」という返事が返ってきたに違いない。「増税」の頭につい「大」の字をくっつけちゃったのは、大げさな表現が十八番《おはこ》の共産党らしい。

だって、日本の政界の中でも、共産党は一番歯切れのいい連中だろう。その大胆な言い回しには、すかっとさせられるところがある。

気にくわない改革はそっくりそのまま「改悪」と言い換える。

「三月に与党が成立させた年金改悪法。六十歳の人でも生涯の年金を五百万円も削る大改悪です」

「許す」という動詞が大好き。ただし、さっきの引用文でも見たように、否定形で、当然。

「こんな卑劣なやり方は民主主義の政治では絶対に許されません」

レッテルの貼《は》り方にも、頭が下がるばかり。

「消費税は低所得者ほど負担が重い、最悪の福祉破壊税です」

ただ、本心、政権の一角を占めて、自分たちの掲げた公約を自分たちでやり通すほどの覚悟がないんじゃないか——共産党を含む反自民勢力による大連立が噂《うわさ》される中、そう匂《にお》わせる構文が、宣伝の端々に見られた。

使役。

「改悪を中止、もとにもどさせます」

「ゼロ金利政策をいそいでやめさせます」

「保険料徴収の見直しをさせます」

自らやるんじゃなしに、政府にやらせるんだ、野党のまま——そんな響きが言外に込められている。

そして社民党。あれっ、まだあいつらいるの、往生際《ぎわ》の悪いともがらだな、と私なんか驚いちゃったけど、自民党との不倫を忘れたらしく、すっかり原点に戻っちゃっ

党と議員の数あれど
その実体がわからない
カオでえらんじゃおうかなー

た。

「げんきに福祉
がんこに平和」

「今こそ、平和憲法」

大いに代弁すべき立場だろう。しかし力んでいるあまり、ちょっと独りよがりになっているところもあったかな。

「不安のない老後のための年金水準を考えているのは、社民党だけです」

「社民党は患者の立場から医療を考える唯一《ゆいいつ》の政党です」

今更のことだが、政党の自画自賛には眉唾《まゆつば》が是非とも必要。

カネを巻き上げる名目

「ぼられたっ！」

カンカンに怒って、女房が美容院から帰ってきた。話を聞くと、べらぼうに高い「セミ・ロング代」を取られたと言うのだ。髪の毛が長い分パーマ液をたくさん使ったならわからないでもないが、肩にもかからないんだから、どこが「セミ・ロング」

なのか理解に苦しむ。そう言えば、本当に長かった頃は「ベリー・ロング代」か何か請求された。そして思い切って短髪にしたとすれば、今度は「ベリー・ショート代」を払うはめになるそうだ。ほぼ完全な包囲網らしい。女房が行った美容院は極端かも知れないが。

頭を剃《そ》っていて、美容業界とはほとんど接点がない私にとっては、随分縁の薄い話だ。だがこっちもできればうまく儲《もう》けたいわけだから、この発想をなんとか自分の仕事にも当てはめられないものか。

思えば、このコラムを毎日新聞に連載していた当時、与えてもらった紙面はまさに猫の額程度だった。わずかな文字数に論旨をまとめるのが難しく、まあ、要はベリー・ショート代を頂戴《ちょうだい》したかったのだ。今さら要求するわけにはいかないだろうが、今度は本一冊分に水増ししたわけだから、超ベリー・ロング代を加算していただいても差し支えないだろう。

失礼いたしました。これはもちろん冗談。しかしそれにしても、お金を請求する建て前って、様々で実に興味深い。

日本に初めて来た頃からどうも納得がいかないのは、部屋を借りる際のあの二カ月分の「礼金」。礼金とは有り難い気持ちの入ったお金のはずだが、家賃も高い、部屋も狭い、外人だから警戒しているのも見え見え。それからそうそう、「敷金」という名の保証金も取られる。これじゃ有り難い気持ちにはなかなかなれない。

礼金と同じ性質の請求は、日本にはやたら多いような気がする。つまり、何かのサービスを受け始めようとする時点で、そのサービスに直接かかる費用とは別に、一括して使途不明の大金を払わされる。まるで買い物に出かけた時、デパートに入るのに、商品の代金に匹敵する「ご来店料」を求められるようなもんだ。学校の「入学金」もそう。

中でもこじつけがうまいのは、電話に加入する際の例の七万二千円（消費税は別）。称して「施設設置負担金」。施設設置と言っているぐらいだから、電話の回線とかを設置するためのお金だろうな、と思ったら大間違い。そいつは別途「工事費」としてたっぷり取っている。NTTさんによると、この「施設設置負担金」は、「前もって電柱や交換機などの設備を設置するための費用」とのことだ。しかし電柱を立てにうちに来てくれたためしなんかない。それに、私が育った広大なカナダでは、こんな大金を加入者から絞り取らなくても基盤整備ができているのに、どうしてNTTさんにできないのだろう。

こういう請求は各界各様。妖《あや》しげなクラブに足を踏み入れて、お酒がちょっと入っ

ナントカカントカ
いいながらも すっかり定着
してしまった消費税
売店

ているからって、いい気になって一番可愛《かわい》い子にうっかり声をかけたら、「指名料」を払わされる。政界では、不発に終わった細川内閣の「国民福祉税」。ヤミの世界では、ヤクザの「場所代」、何年か前、とある総会屋が取ってた「海の家使用料」。人のお金を巻き上げるためなら、どんな名目でもいい。

耳に優しい「党代表」

民主党は九六年の結党当時、菅直人と鳩山由紀夫の二人代表制を採用した。これじゃさすがに「わかりにくい」ということで、一年も経《た》たないうちに代表を一人に絞って、現在に至る。けど、「代表」は一人でもわかりにくいような気がする。民主党の他の議員だって、党の政策や立場を「代表」しているんじゃないか。そもそもこの「党代表」とは何ぞや。

もちろん党首のことを柔らかく言ったものだ。詳しく調べたわけじゃないが、党首を「代表」と呼ぶ風習は大体日本新党や新党さきがけあたりで定着したようだ。権力色の抜けた当たり障《さわ》りのない言い方、リベラル勢力がいかにも好みそう。「総裁」や「委員長」じゃ威圧的、「代表」なら仲間のうちの一人、みんな平等だという雰囲気が漂う。JRが一等車のことを「グリーン車」とぼやかしているのと妙に通じる精神だ。

おもしろいことに、公明党でも、かつて「委員長」と呼んでいたのがいつの間にやら「代表」になっちゃっている。しかしタカ派的な保守党や自由党はやっぱり違う。ずばり「党首」とお茶を濁さない。

「代表」のオブラート用法は何も党のトップに限定することはないだろう。「首相」という肩書きを廃止し「内閣代表」とでも言い直せばどうだろう。天皇陛下を「帝国代表」と言えば左右ともにさすがに反発するだろうが、イギリスの場合はエリザベス女王のことを「王国代表」でいけるのかもしれない。悪いことをして良心の呵責《かしゃく》にさいなまれたらこう祈ればいい。

「天国代表よ、罪を許したまえ」

日本では、「ボトムアップ」は民主的であって、「トップダウン」は民主的でないと単純に信じ込んでいる人が多いようだ。だから指導者が指導者らしく振る舞ったらかえって恨まれる。そこで「代表」みたいな角の立たない呼称が出てくるわけだろう。取り越し苦労ならいいけど、これは昭和初期のもっとも大切な教訓を忘れた考え方じゃないか。日中戦争、さらに太平洋戦争にエスカレートした満州事変だって、「ボトムアップ」で仕かけられた。強い政治的リーダーシップの欠如こそが、芽生えつつある民主主義の崩壊だけではなく、国そのものの自滅まで許してしまったのだ。党の領袖《りょうしゅう》はやはり、民主的に選ばれたうえで、たかが「代表」に甘んじないで、名実共に指導者であってほしい。

「新外国人」

この本の元となった新聞連載は、私が初めて手がけたコラムだった(最初で最後かもね)。ということは、私は言ってみれば、新外国人コラムニストである。

と言っても、実は昔から外国人なんだ。

豊富な野球用語の中でも「新外国人」はおもしろい表現。形は似ているが「新成人」や「新社員」などとはかなり趣が違う。なにしろ新しく外国人になるわけじゃない。「日本人をやめて、今日から新外国人として再出発します」なんて聞いたことはない。そのように日本国籍を離脱した人は入国管理局の方で「元日本人」と呼ぶらしい。

「新外国人」とはもちろん、獲得したチームにとって「新しい」という意味だが、むしろ既に大リーグでかなりキャリアを積んでいるはずだから、厳密に言えば「中古外国人」ではなかろうか。

　この言葉の原形は「新外人」だろう。だが「外人」は露骨だから、巷《ちまた》では根強い人気とは言え、真面目《まじめ》なニュース番組や新聞ではほとんど「外国人」にグレードアップ済み。でも株式関係の報道は特別らしい。「外人投資家は東京市場から逃げ出して日本売りをしているんだ」とかよく解説するのだ。景気回復に非協力的なやからだから「外人」とはき捨ててやろう、という発想なのかな。

　しかしはたして「外人」を「外国人」に検索置換すれば済むという機械的な問題だろうか。国籍がわからなければ仕方がない。だがわかっているのに、様々な国の人を、たまたま日本人に生まれ損なったという一つの基準で、「外国人」や「外人」と、十把一からげにするのはちょっとがさつじゃないだろうか。「新外国人」たちもそれぞれちゃんと国籍があるはずだ。野茂英雄《ひでお》だって、ドジャースに入団した当時、一度も「新外国人」に当たる英語、「フォーリン・ルーキー」などとは呼ばれていなかっただろう。

　最近、繊細な人が増えたようで、「外人」や「外国人」に代わって、「ネイティブの方」という遠回しな表現も登場している。「ネイティブ」とは、「ネイティブ・スピーカー」の省略で、もともと「ある言語を母国語とする人」という意味だ。英会話業界の影響か、特に英語を母国語とする人を指すようになっている。日本人も一応「ある言語」を母国語としているんじゃないかと抗議したくなるけど。

輸入した野球選手を「ニュー・ネイティブ」と言う日は、しかし、まさか来ないだろう。

似たり寄ったりの党命名

一九九七年師走《しわす》、一年ぶりにカナダに帰り、毎回のことだがちょっと浦島太郎気分を味わった。ところが、お正月に日本に戻ったら、たった三週間の不在で再び浦島太郎という思いに襲われた。

聞いたこともない珍党名が新聞の一面でひしめいていたのだ。

知らないうちに最大野党の新進党――「あった！ あった！ あった！ そんなの」という反応が聞こえてきそう――とにかくその新進党がいわゆるビッグバンを興《おこ》して木《こ》っ端《ぱ》みじんになって、いくつもの新しい政党に分裂してしまった。

今はもう忘却のかなただが、小首をかしげるようなネーミングが目立った。

例えば**新党平和**。今の日本には主戦論者なんていない以上、「平和」を看板にしたって選別の材料としては全く役に立たない。
あるいは**新党友愛**。これもどこと区別しているつもりだったんだろう。なれ合いの政治にはぴったりの名前だが。
または**国民の声**。国民の声は様々で、絶えずぶつかり合っているからこそいろんな政党があるんじゃないか。わずか十数人のちっこい集団が一億二千万の声を代弁し切れるとしたら感心しちゃう。
それに**太陽党**。どうしてここに天体が出てくるの？　国会で太陽崇拝でもする気だったのか。
「なんだこりゃ」と一番目を疑った新党名はしかし、**フロムファイブ**だった。古臭いポップスのコーラス・グループが政界に紛れ込んだかと思ったが、違った。細川護熙《もりひろ》元首相率いる小組だったのだ。五人から出発してどんどん大きくなろうという希望が込められたとのこと。つまり数合わせの論理、拡大するのが政策の柱だったらしい。まあ、本音ではどの政党もそうだろうけど、こんな正直にネーミングの中で認めた連中は初めてだったんじゃないだろうか。
その後細川さんは政治に退屈したようで、突然引退して、フロムファイブどころか、人生のアフターファイブに入っちゃった。

カタカナの名前で言うと、**フロンティアネット**というのもあった。仮称で、結局正式には採用されなかったようだが、今だったら誰もそんな党名にしないだろう。だって、インターネットのプロバイダと間違えられるもん。

党名らしい党名は小沢一郎さんの**自由党**ぐらいだった。小沢さんの立場は古典的な自由主義の色が濃く、看板から少しは中身がわかったわけだ。この系統の自由主義に賛成の有権者は入れればいいし、いやなら肘鉄《ひじてつ》を食わせればいい。ただ、その後、自由党は野党の列を破って政権に加わったり、連立の仲間たちをさんざん脅迫した揚げ句、また野党に転じたりした。この「自由」とはもしかすると、「自由主義」の自由じゃなくて、「自由勝手」の自由じゃないか、と言葉の微妙なニュアンスを改めて認識するようになった。

さて、新進党ビッグバンから一カ月も経たないうちに、野党が統一会派を組んで、党名を適当につなぎ合わせて当たり障りのない会派名を編み出した。**民主友愛太陽国民連合**。長い！　途中で息が切れてしまうし、アンチョコがないと一部抜かすか、順番がこんがらがりそう。一昔前の「太陽神戸三井銀行」を思い出すなあ。

民主主義は理念の対立から成り立つ。なのにどの新党名からも、賛成・反対が可能な政治姿勢が見えてこなかった。

幸い、そのほとんどが一過性のものばっかりで、すぐ消えてしまった。やがて政治家の皆さんは正気を取り戻し、それ以来割とまともな党名が大勢を占めている。名称のすっきりした**民主党**が民主友愛太陽国民連合を飲み込んだのは、その転換の象徴的な出来事だったかも。

ただ、その代わり、やたら紛らわしい党名が増えちゃった。例の民主党は敵の**自由民主党**の名前の後半を遠慮なくもらっちゃった。前半の方は自由党に奪われた。「自由」の文字はよっぽどの引っ張りだこみたいで、知名度の低い**自由連合**にもまた奪われた。

昔、主君が自らの名前の一文字を家臣にやる風習があったそうな。島津斉彬《なりあきら》が将軍徳川家斉《いえなり》の「斉」の字を賜った類《たぐい》で、「一字拝領」と言うらしい。なら、自由党や自由連合や民主党の名乗り方は「二字奪取」とでも呼ぶべきじゃないか。自民党も訴えたらいいのに、とカナダ人としてはお勧めしたいところ。というのも、最近、日本と同じぐらい変なウチの国で、「カナダ保守改革連盟」たる新党が生まれて、その途端、百数十年の歴史を持つ老舗《しにせ》の「保守党」が、「勝手に『保守』ということばを使いやがるんじゃネー！」とつむじを曲げて、裁判をおこしちゃったのだ。

でも、考えてみると、問題はもう少し複雑なのかな。「自由」とか、「民主」とかいう文字が奪い合いになるのは、日本の政界の現状を端的に表しているのではないか。古いイデオロギーの対立が大分薄らいできて、多くの政党が同じような基本姿勢を取るご時世、似たり寄ったりの党命名も仕方がないのかも。

もちろん、日本のかじ取りの対立軸がなくなったわけじゃない。護憲対改憲とか、福祉をどこまで充実させるかとか、火花が散りそうな話は結構ある。けど、特に自民党や民主党の場合、両側の議員がごちゃ混ぜになっちゃっているから、そういった対立点が浮き彫りになりにくい。

ここで思い切って、もう一回政界ビッグバンを興して、右派・中道・左派にきれいに整理すればいいかもね。そしてそれぞれの政党の名前は？　他の二つはさておき、右派の方は、二〇〇〇年春に自由党が分裂してできた保守党をそのまま採用すれば、ぴったりだ。

でもちょっと待てよ。あいつらが掲げている政策は憲法の改正とかでしょう。「保守」を現状維持の意味で捉《とら》えるなら、日本でもっとも保守党の名にふさわしい連中はむしろ、共産党あたりと違うか？

やれやれ、党名って、本当に難しい。

誤解も方便？（二）

　室町時代の僧、一休宗純《そうじゅん》について、こんな逸話が伝えられる。まだわんぱくのころ、ある橋の前に行き着いた。そこに「このはしをわたる事かたく禁ず」との制札が立つ。その橋の真ん中を平気で渡ってしまう。とがめられて、こう切り返す。「いや、端は渡っていません。真ん中を渡りました」。ことばをわざと誤解する人は面白い。

　今の日本にも、ある橋を渡ることを固く禁じた制札が立つ。日本国憲法第九条。そして日本政府がずっとそれをわざと誤解してきたように思えて仕方がない。

「陸海空軍その他の戦力は、これを保持しない」

　単純に読めばこれは一見、「陸海空軍その他の戦力は、これを保持しない」ことを意味するようだ。しかし日本語というのは大変奥の深い言語らしくて、それは間違い。陸海空軍を保持する分に関しては、「軍」と呼ばないかぎり問題ない。正しい解釈は？

「集団的自衛権の行使は、これを禁ずる」

　集団的自衛権って、ところでちょっと堅い表現だ。単純に言うと、北大西洋条約機構みたいに、何カ国かがみんなで守り合う体制を指すとのこと。

というわけでここ何年、日米防衛指針の見直しなどをからめて、不思議な神学論争が繰り広げられている。憲法上一歩でも渡ってはいけない橋を百歩渡るか、五十歩で止まるか。

これじゃ建て前と現実があまりにもかけ離れているから、制札そのものを書き直そうという気運も少しずつ高まっている。だが閣僚の立場でそんなことをうっかり唱えたら大変。護憲派を自負する連中は「この印籠《いんろう》が目に入らぬか」とばかりに憲法第九十九条を持ち出してくる。国務大臣らは「この憲法を尊重し擁護する義務を負う」。だから「腹を切れ!」。過去に切ったのもいる。でもちょっと待って。「尊重し擁護する」というのは、はたして「改正の『か』の字すら口にしてはいけない」という意味なんだろうか。

そう言えば、「護憲」と「改憲」を対立軸として捉えている国は日本ぐらいかも。大体「護《まも》る」と「改める」はいつから反対語になったのだろう。法律だって、「護る」のは当然だが、それはまさか永遠に改正してはいけないことにつながらないだろう。

いや、いや、それこそ、誤解しないでいただきたい。憲法の改正なんて唱えているわけでは決してない。第一、オタクの憲法であって、ウチの憲法じゃありません。当研究室の主題に添って、憲法の条文と日本の現状とのずれが生んだ日本語のねじれに注目しているだけだ。

傍《はた》から論評するのは簡単でも、矛盾を解決するのはなかなか難しいだろう。ある意味では、戦後日本そのものが、憲法第九条を曲解し、その曲解をみんなで黙認することの上に成り立っているとすら言える。そしてそれも一種の知恵かも。この暗黙の誤解をぶっ壊したら大混乱が起きるに違いないから。

「名」と「実」を合わせるのがなかなか困難な場合もある。

看板屋の儲《もう》け時

今は昔、日本の大きな川のほとりに行くと、必ず看板が立っていて、こう記されていた。

○×川
建設省

さて、二〇〇一年一月の省庁再編成をもって、そっくりそのまま、

○×川
国土交通省

とでも取り替えるかと思いきや、そうじゃない。シールをぺたっと貼《は》って、「建設省」の文字を覆《おお》い隠しただけだ。しかし「国土交通省」ね、建設省と運輸省を合併してそれに国土庁とかをくっつけたスーパー官庁だ。超能力者でもない限り、字面《じづら》からだけでは、肝心な建設行政まで入っているとはなかなか読み取れないだろう。「建設」の文字をわざと避けたんじゃないかとうたぐりたくなる。

これぐらいで、公共事業の無駄にゼネコン汚職、それに担当大臣の時折の逮捕等々、建設行政の恥部に対する咎《とが》めを回避できると踏んでいるなら、ちょ〜っと甘い。「軍」の文字が不評という事情から、長いこと、この国の軍隊を「自衛隊」と言い換えているのを連想してしまう。だが新しい官庁名が結局「国土交通省」に落ち着いたことで、ほっとしている面もある。なにしろ、一時期候補として挙がってた「国土開発省」や「国土整備省」よりましだろう。そんなんじゃ何をする官庁かさっぱりわからない。「なるほど、建設行政および運輸行政をつかさどっているのだろう」とピンとくる目ざといヤツがいたとすれば大したもんだ。

自民党の建設族らが推した「国土整備省」は特にうまいはぐらかし方だと感心した。公共事業の歴史に鑑《かんが》みて、どうせだったら「国土破壊省」にしたほうが適当だったかも。「諸手《もろて》に利権ニギニギ省」とか。

まあ、ふざけてばかりはいられない。実は、よく似たお仕事を受け持った省庁が昔もあった。明治初期、鉄道を敷いたりした「工部省」だが、正直なところ、その名称を復活させたらいいな、とひそかに期待していた。それじゃだめだったら、素直に「公共事業省」あたりでどうかな、とも考えた。

あるいは、運輸省や国土庁出身の官僚に我慢してもらって、「建設省」のままにしてたら、川のほとりのあの看板にシールをぺたっと貼る手間が省けたかも。でもとどのつまり、「国土交通省」になったわけだ。どう略すのだろう。「国交省」？　まさか。それじゃ北朝鮮と関係の正常化を交渉している手合とでも勘違いされてしまう。外務省も黙っちゃいないだろうし。

ほかの新省庁名の出来ばえはどうだろう。遊び半分に採点してみよう。先《ま》ず、名称が元のままになっているものがある。「外務省」「法務省」「農林水産省」「防衛庁」だが、省庁としての機能が変わらない以上、こいつらはすべてエスカレーター式で進ませてあげていいだろう。

「農林水産省」の方はちょっと危ない時期もあった。建設省の河川局と統合して、「国土保全省」にしようという案も浮上したのだ。農水省プラスアルファだとはとても思えないネーミングだから、やめて正解だったんじゃないでしょうか。「国土保全省」なんて、「尖閣《せんかく》列島を中国や台湾から守る連中かい」という、かなりブラックな解釈さえできなくもない。みんな、「国土整備省」とこんがらがっちゃうだろうし。それなら最初から合併して「国土整備保全省」にしたらよかったかも。

防衛庁はところで、念願の「防衛省」への昇格を見送ることになった。やはり日本の軍事アレルギーが踏みとどまらせたのだろうが、この日陰者扱いと言い、さっきの「自衛隊」と言い、そのアレルギーが字面だけに現れても仕様がない気もする。

じゃ、名前も中身も変わっていない省庁はよしとして、中身は基本的に変わっていないくせに、名前だけは変わっている省庁はどうだろう。

環境庁を「環境省」へ格上げしたことに異議を唱えるほど地球に冷たいヤツはあまりいないだろう。パス。「環境安全省」という案も議論されたみたいだけど、これもまた、やめて本当によかったと思う。「保護」ならわかるが、あの「安全」は何？

大蔵省は思い切って「財務省」と改名した。

実は、名前を変えるか変えないかで随分もめたらしい。「大蔵省」支持派は律令時《りつりょう》代以来の由緒《ゆいしょ》正しき呼称だからと主張した。対する「財務省」支持派のエース、橋本龍太郎元首相は、

「律令時代にさかのぼるなら、『兵部省《ひょうぶしょう》』や『検非違使《けびいし》』も非常に魅力のある文字だ……すべてこのように直すのも、みやびやかで素晴らしいかもしれない」（朝日新聞九九年二月十六日）

と皮肉たっぷりに切り返した。

本書をここまで読んでくださっている読者の皆さんは何となく感づいておられることと思うが、私は実は、すべて律令方式に直す元首相の提案に大賛成だった。ただ、検非違使だけはちょっといただけない。屁理屈《へりくつ》で申し訳ないけど、検非違使というのは、奈良時代の律令制度にさかのぼるわけじゃない。律令に全然定めのない、いわゆる令外《りょうげ》の官《かん》で、平安初期にできた割りかし新しいヤツなんだ。どうせこのような例を挙げるんだったら、正真正銘の律令官庁・「刑部省《ぎょうぶしょう》」とか、「弾正台《だんじょうだい》」ぐらいにしてほしかった。

律令制度をそっくりそのまま復活させるのは、さすがに行き過ぎだとしても、「大蔵省」までなくしてしまったのは悔しい。これほど歴史の古い官庁名は世界でも珍し

いだろう。面白いことに、イギリスでも、一番古い官庁名はやはり、財布のひもを握る「Exchequer」のようだが、せいぜい十一世紀ぐらいまでにしかさかのぼらないというから、「大蔵省」の出現に遅れること数百年。

おまけに、「大蔵」が「財務」に変更されたことで、訓読みは日本の省庁名から姿を消すことになってしまった。「そんなのどうでもいい!」というあきれ声が上がりそうだが、人一倍お節介な当研究室では、あえてそういうことにこだわるのだ。

いずれにしても、どうして名前だけを変えたのかな、という根強い疑問が残る。げすの勘繰りかもしれないけど、行革の目玉になるはずだった大蔵省の分割が中途半端《はんぱ》に終わってしまったから、看板だけでもかけ替えよう、ということなんだろうか。

要するに「財務省」は残念ながら、不合格だ。

通商産業省はそのままの組織を引き継ぎながら、「経済産業省」への改称がすんなりと決まった。これも単なる用語の置き換えじゃないか。こうして名前だけをいたずらにいじられたら、私みたいな疑り深いヤツは何か変な魂胆があるんじゃないかと不審に思う。本質的に改革していないのに、改革したかのようにごまかされてるんじゃないかとか。

そんなまやかしは落第だな。

もちろん、統廃合とかで省庁を本格的に再編した場合、名前も従来のものじゃ間に合わないわけだから、新しいのを工夫するしかないだろう。

冒頭で取り上げた「国土交通省」もそうだが、すでにペケが出ている。

文部省は科学技術庁を吸収して、「文部科学省」として生まれ変わった。これには及第点を上げましょう。橋本内閣で発表された「教育科学技術省」というやたら長ったらしい名称よりすっきりしているし。

「教育」に変えないで、明治初年から、ずっと使われてきた「文部」の字を存続させたことにも、日本語上の思わぬメリットがある。「式部省」「民部省」や、先ほどご紹介した「工部省」「兵部省」「刑部省」などに代表されるように、「部」の字は古代以来、日本の省庁名の特徴だが、これでこの伝統は二十一世紀に何とか生き延びた。

厚生省と労働省を一緒にくっつけた「厚生労働省」は、決定するまで色々といざこざがあったみたい。橋本内閣の段階で「労働福祉省」と一旦《いったん》決まったが、そこで時の厚生大臣、小泉純一郎さんがかんしゃくを起こした。こんな名前じゃ絶対にイヤ、二文字のものがいい、といきり立ったのだ。

確かに、どの省庁だって二文字が理想だろうが、どうやって厚生省と労働省の統合した厖大《ぼうだい》な官庁の名前を二文字で過不足なく表現しろというの？　日本きっての大新聞（毎日じゃないよ）はありったけの知恵を振り絞って「生活省」なんて提案した。けど、「生活」という漠然とした言葉じゃ、福祉政策や労務ばかりか、教育も経済活動も何もかも引っくるめてしまわないとも限らない。個人の生活を監督してくれる官庁も要らないし。

だから無理しないで、冷静に「厚生労働省」にしてよかったと思う。ダサいけど、官庁の名前はストレートでさえあればいいんで、地味でも構わないだろう。

はい、パス。異論はありそうだが。

そして最後に「総務省」。こんな名前じゃ何をやっても越権行為にはならない。実は他に行き場のない、郵政省や自治省や総務庁の機能を適当に寄せ集めただけみたいだが。

失格！

とは言え、互いに関連の薄い三つの省庁の機能を全て《すべ》簡潔に表現できる名称は見つかりそうもない。「その他もろもろ省」あたり以外にはね。

ここに、単なる命名の次元を超え、今回の省庁再編成そのものの限界が見えてくるような気がする。省庁の数ばかりを減らそうと意気込んだあまり、本来異質な機能を一緒にせざるを得なかった。

だが的確な名称が付けられないほど広範な権限を握っている省庁が、果たして一人の大臣の手に負えるのだろうか。名前が曖昧《あいまい》なほど、官僚としては都合がいいかも。得点の集計は読者の皆さんにお任せしますが、とにかく看板屋だけはもうかっているんだろう。

第三部　日本語の中のグローバリゼーション

外来語にうなされて

ボクの悪夢。成田の免税店に入る。

「こんにゃく一本ください」

と言う。店員は意味を把握できずまごまごする。

「はい？」

「こんにゃく一本ください」

一瞬、間が開く。

「こんにゃくは置いていません」

「お酒置いてるでしょう」

「はい。でもこんにゃくは置いていません」

次の瞬間、店員はぴんとくる。ボクは爆笑に包まれる。屈辱で目がぱっと覚めて冷汗びっしょり。

「コニャック一本ください」

と言いたかったのだ。

ボク自身も舶来品みたいなもんだから信じてもらえないかもしれないが、外来語が苦手なんだ。発音が紛らわしいもん。猫は「キャット」だが挿絵は「カット」。英語ではcatとcut。aとuで母音が違う。日本語では「キャ」と「カ」の違いで、両方ともア段。どっちがどっちだったっけ、とついこんがらがっちゃうわけ。長い単語になると、途中で障害物競走をやらされている気持ちになる。音節ごとに、陥《おとしい》れようと手ぐすねひいて難関が待つ。日本語の「語彙《ごい》」も英語の「vocabulary」もすらすら言えるが、カタカナで言えって言われたら……「ボ」を伸ばすか伸ばさないか、「カ」か「キャ」か、「ブ」か「ビュ」か、「ラリ」はいいとして最後に音引きが要るかどうか。もういいや。辞書で調べよう。「ボキャブラリー」。日本語を勉強して十八年。一度もちゃんと発音したことがないと思う。ややこしくて「オー・マイ・ガッド」だ。ごめん、間違えた。「オー・マイ・ゴッド」

確かに、英語をカタカナに直す際、ある程度の規則性がある。だからその決まりをしっかりと身に着けたらよさそうなもんだ。ただ、そこに大きな盲点が潜んでいる。カタカナ語は必ずしも英語とは限らない。その場合、必死に覚えた決まりは全然役に立たないわけだ。英語の発音に添って「ハロジェン」と言ったら何とか通じるとしても、日本語では正しくは「ハロゲン」だ。エッ、どうして!? ドイツ語から入ってきたから。

英語式に言えば「ジョン・ポール」という大変有名な人物がいる。でも日本でそのように呼んでも、誰のことやらピンとくる人は少ないだろう。この国では現ローマ法王のことを「ヨハネ・パウロ」と言うから。ラテン語から来た言い方のようだ。

在来の日本語とカタカナことばが複雑な役割分担をするから余計こんがらがっちゃう。ご飯は普通は「ご飯」だが、洋食なら「パンかライスかどちらになさいますか」。大体「テーブル」で食べるけど、和室だったら「座卓」でいただく。戸締まりの際、鍵《かぎ》をかけた後、万全を期してかけるやつは何と言う? 「チェーン」だ。玄関に「鎖」をかける人はうちを監獄と勘違いしているとしか思えない。

「面接」はカタカナで「インタビュー」と言うけど、両者は完全に一致するわけじゃない。会社に「面接」に行くし、外資系なら「インタビュー」に行くかも知れない。しかし総理大臣を「インタビュー」する記者がいるとしても、総理大臣を「面接」するど偉い記者はいないだろう。

外来語の中でも、いやに細かい使い分けをすることもしばしばある。ガラスでできた飲み物用の容器はグラス。コーヒーはカップで飲むがビールはコップで飲む。ビアガーデンで。「コップ」「ビール」と昔オランダ語経由で入ったやつが、後からニュアンスや使用範囲を微妙に変えて、「カップ」「ビア」と英語経由で入ってきちゃったわけだ。

こうしてもともと同じ単語だったのが、別々な言語を通して違う形で日本に伝わったりする。余談になるが、中にいくつもの遠回りをしているヤツもいる。「メガビット」「メガバイト」や「メガトン」の「メガ」はギリシア語で「大きい」という意味。一方、地震の規模を示す「マグニチュード」はラテン語の「マグヌス」=「大きい」から派生した用語で、「大きさ」と直訳できる。ラテン語とギリシア語は姉妹みたいなもんで、「マグヌス」と「メガ」は語源が一緒。「いくらですか」というのは英語では周知の通り「ハウ・マッチ?」、直訳すれば「どのぐらい多いか」と言う。英語はギリシア語やラテン語の姪《めい》っ子のような関係にあって、この「マッチ」=「多い」もさかのぼれば「メガ」や「マグヌス」と同じことばだ。

そして大昔、その同じことばはなんとインド・中国経由でも日本に伝来した。摩訶《まか》不思議の「摩訶」だ。「摩訶」はサンスクリット語(梵語《ぼんご》)の「マハ」で、意味はやはり「大きい」。「摩訶不思議」はつまり、大きな不思議、メガ不思議ということだ。今日の英語の「マッチ」と同源のことばが古代のサンスクリット語にもあったというのは一見それこそ摩訶不思議な話だが、何を隠そうサンスクリット語はギリシア語、ラテン語やロシア語などと一緒で、実は英語の親戚《しんせき》だ。

おっと、話が完全に脱線してしまった。歴史言語学は取りあえず脇《わき》に置いといて、本題に戻りましょう。そう、外来語の頭の痛いこと。

第一部の「略語の天下」でも詳しく見たように、何でもかんでも省略してしまう日本語だが、外来語も平気でばしっと切る。日本語を学習しているものにとっては、これも混乱の元。電車を「ホーム」で待つ。エーッ、どうして電車を「家」で待つの⁉

ああ、そうか。ウチという意味の「ホーム」とは関係ない、「プラットホーム」の略なんだ。

「ハウス」栽培のトマトのことを、やはりどっかの「家」で、家族全員汗水流して一所懸命育てたんじゃないかと勘違いしているガイジンもいるに違いない。ここで言う「ハウス」は「ビニール・ハウス」の略。泣きっ面《つら》に蜂《はち》、おまけに「ビニール・ハウス」は和製英語だ。

ボクの本職は日本語で言うと、「フリー」、翻訳家だ。それをそのまま英語に訳せば「フリー・トランスレーター」になるだろうが、それじゃどういう身分なのかはよく分からない。「フリー」には先《ま》ず「自由」という意味があるから、拘留されていない翻訳家？　拘留される心当たりはないとは思うんですけど。また、「ただ」という意味もあるから、無料の翻訳家とも？　それじゃあマンマが食えない、この本が爆発的に売れでもしない限り。いや、フリー翻訳家の「フリー」は日本人が勝手に「フリーランス」を略したもので、自由に契約を結んでいるということだ。

元の英語よりもずっと狭い意味で使うカタカナ語も少なくない。日本語の「フローリング」は特に板張りの床を指すが、英語圏で「フローリングのある部屋が欲しい」とでも言ったら、妙な顔で見られるだろう。というのも、英語の「フローリング」は木だけじゃなくて、石材でもリノリウムでも、床の材料なら何でも指す。フローリングのない部屋なんてあるはずないわけだ。よっぽどずさんな工事じゃない限り。

パソコンの普及も手伝って、こういう絞り込んだ意味の外来語は増えている。「メール拝見いたしました」と書いたら、日本語ではインターネットを通してもらった文書、いわゆる電子メールだとはっきり分かる。でも英語の「メール」は「郵便物」程度の意に過ぎない。「アドレスを教えて下さい」と言ったら、日本語では電子メールの「アドレス」に決まっている。でも英語で、特に女性の方に「アドレスを教えて下さい」などと言ったら、強引な男だなコイツは、と思われちゃう。電子メールのアドレスと特定しない限り、家の「住所」という意味になってしまうから。

そう言えば、逆に英語が日本語から借り入れたことばの場合でも、同じようにもとの日本語より狭い範囲で用いることがある。英語の「ｋｅｉｒｅｔｓｕ」は一種の専門用語で、株式の持ち合いなどを特徴とする日本独特の企業グループを指す。日本語の「系列」も当然企業グループについても言うけど、必ずしもそれに限っているわけじゃない。

「楽」は「ｒａｋｕ」という形で英語にも進出しているが、「どうぞ楽にして下さい」の意味で「Ｐｌｅａｓｅ　ｂｅ　ｒａｋｕ！」とはもちろん言わない。というのも、「ｒａｋｕ」は陶器の「楽焼き」のことだからだ。

「漫画」は日本語ではアメリカのコミックスなどについても言えるだろう。でも英語の「ｍａｎｇａ」は日本式のものに限定して言う。

やたら細かい意味になる外来語もあれば、本来の意味とずれる外来語もある。「自分をアピールする」「若さをアピールする」「消費者に商品をアピールする」みたいな言い方は日本語独特のもので、英語の「ａｐｐｅａｌ」にはこの「訴求する」というニュアンスはない。だからこいつらを英語に訳すんだったら、「ａｐｐｅａｌ」だけは使えないわけ。翻訳家として面倒くさいところだ。

ＮＨＫのニュースなどで、アナウンサーは「では、○×『デスク』から解説いたします」と紹介したりする。机が解説してくれるのか、と驚いていると、もちろんそうじゃない。やはり生身の人間が映って、べらべらと喋《しゃべ》り出す。確かに机に座ってはいるが。つまり「デスク」は日本では、「机」という原意から展開して、一種の肩書きにまで発展している。

日本人は憧《あこが》れの「マイカー」をやっと買ったり、「マイホーム」をよく夢見たりするけど、この「マイ」もおもしろい。英語ではもちろん「私の」という意味だが、日本語では違う。「マイカーでしょっちゅうドライブに行きますか？」と聞いたら、「おまえ勝手にオレのクルマを乗り回しやがってるのか？」という趣旨では決してない。「マイ」は人称を問わず、「自分の」という意味、在来の日本語の「我が」に相当する。「マイホーム」は「我が家」、「マイカー」は、そんな言い回しがあったとすれば「我が車」。和魂洋才じゃないけど、字面は外来語に見えても、心は純粋な日本語だ。

この「マイ」というカタカナはまだまだ伸びそう。「マイペース」というのもあるし、他にもいろんな応用の可能性が思い浮かんでくる。「アイツはマイワイフを大事にする人だからよく恐妻家とからかわれる」「あれほど欲しがってたマイパソコンを手に入れたかと思ったら、すぐ壊れちゃったんだって。かわいそうに」「マイファミリー」「マイカンパニー」「マイバンク」。以上はすべてマイ勝手なイマジネーションによるものだが、すでに巷《ちまた》で言われているのもあるかも。日本語古来の「我が」の精神はこの意外な形で二十一世紀に引き継がれているわけだ。

こんな話も読んだことがある。十数年前だろうか、とある大リーグ選手の入団交渉の際、日本の球団側は条件として高級「マンション」を提示した。選手は大喜びだった。なぜなら、「マンション」は英語で「大邸宅」。寝殿造りの御殿に住まわしてもらえるとでも勘違いしたのかな。それにしても、日本人はどうして外来語をこのように違う意味に流用するんだろう……。

なあんて、実は英語圏の人間も、こんなふうに日本人を叱《しか》る立場にはない。

江戸時代、将軍は外国向けに「大君」という称号を使用したそうだが、これは「tycoon」という綴《つづ》りで英語にも取り入れられた。今でも、決して珍しい単語じゃない。かと言って、我々英語圏の人間が何かにつけて幕府のうわさ話をしているというわけじゃないよ。産業界の大立者・大企業家などという意味で使っているのだ。例えば、ビル・ゲイツはソフトウェアの「tycoon」とよく形容される。原意を変えちゃったわけだ。もともと日本語だったこと自体を知らないで、このことばを口にしている人だって結構いるはずだ。

「禅」も「Zen」として英語に定着していて、やはり英語独特の用法も生まれている。非合理的で直感的なものとか、論理の次元を離れて心を和ませて、頭を切り換えさせてくれるものとかは、ベリー「Ｚｅｎ」だと言ったりする。本来日本語なのに日本語になかなか訳せないのはいかにも公案にふさわしい不思議な話。

ことばも郷に入れば郷に従うわけだ。ただ、そこはボクみたいな翻訳家が頭を抱えちゃうところ。英語出身の外来語を見ると、そのまま英訳で使えるじゃないか、または使うべきじゃないかという気になる。しかしそんなことをしたら無残な結果に終わりかねない。この目ではっきりと見たことがあるもん。

心強いことに、カタカナに悩まされているのはボクだけじゃないらしい。読者の皆さんの中にも、変な外来語に遭遇して困惑したことのある方はかなりおられるんじゃないでしょうか。

「インフォームド・コンセント、リプロダクティブ・ヘルス／ライツ、クオリティー・オブ・ライフ（ＱＯＬ）、発展途上国におけるプライマリーケアのアベイラビリティーなど、バイオエシックスを巡るテーマは山積している」

勝手に作った例文だが、こういう文章、あるよね。医学の生命倫理の話だが、どんな分野の話かさっぱり分からなくても恥ずかしいことはない。「日本語で言え！」とクレームをつけたくなる。

日本語でうまく表現できないからカタカナで言うんだ、と開き直られるかも。例えばこの文章の冒頭の「インフォームド・コンセント」。近ごろ脚光を浴びているもので、お医者さんが患者さんに診断や治療についてきちんと説明して、しっかりと理解させた上で、患者さんの同意を得ることを指す。病院の待合室で数時間待たされたあげく、診察はモノの五分とかからない日本では、まだまだ充分定着していない「コンセプト」（下世話に言う「考え方」というやつ）だと言われる。意味不明なカタカナで言い通している限り、そりゃなかなか定着しにくいだろう。

ここ数年、官僚や財界の不祥事が次々と暴露されて、日本における「アカウンタビリティー」の欠如を嘆く声がますます大きくなってきている。エッ、何の欠如だって？「アカウンタビリティー」。自分のやったことを利害関係者（政治や行政の場合は国民ですね）に納得のいくように説明する義務のことで、「説明責任」とも訳される。そんなに難しい「コンセプト」じゃないし、日本の文化とももちろん矛盾しない。字面が物々しいから馴染《なじ》めないだけの話じゃないのか。

一番いやらしいのはしかし、ぴったりの日本語があるくせにみだりに外来語を使うことだろう。例えば「ニーズ」って、よく目に付くけど、「必要」とか、「要望」とか、単純に「欲しい」とか、日本語でずっと正確な言い回しが勢ぞろいしている。「計画」は決して鮮やかな日本語じゃないとは言え、「プラン」や「プログラム」、いわんや

「スキーム」よりは、意味がはっきりする分ましだろう。

念の為《ため》申し述べておくが、当研究室において、カタカナ語廃止論を掲げているわけじゃない。外来語の方が自然な場合も多々ある。

日本に初めて来た頃、ガイジンに面白い日本語を特訓してやろうと思ったのか、おせっかいな上司が、「アコーディオン」のことを「伸縮自在音声発生器」とも言うよ、といたずらっぽい笑みを浮かべながら教えてくれた。ボクは勤勉なヤツだから、単語のノートに控えておいて、暗記して、ちっとも役に立たないのに今でも覚えているわけだ。でもそんなのは滑稽《こっけい》でしかない。「手風琴《てふうきん》」という言い方もあるみたいだが、これもまた耳慣れない。やはり「アコーディオン」でいいだろう。

「インターネット」や「パソコン」のようなものだって、今さら漢字に直しても何のメリット（利点？）もないし、居酒屋に入って「麦酒一本下さい」と頼んでも変人だと思われるだけ。

にっちもさっちも行かない時、「ネックになっている」と極く普通に言う。「ネック」に惑わされて、「エッ、首になったの!?」と誤解しちゃう日本語学習者もいるかも知れない。この「ネック」はしかし、ざらにある、日本語で勝手に略した外来語で、「ボトルネック」が原形。ビンの首みたいな、狭くて通りにくいものを指す。とにかく、「ネックになっている」はあまりにも便利な表現で、それに代わるものはなかなか思い浮かばない。「隘路《あいろ》になっている」と言えなくもないんだろうが、やたら堅い。カタカナことばは日本語に欠かせない。皮肉なことに、ボクみたいな外国人にとっては案外扱いにくいが、語学に難関は付き物。ただ、使いすぎると悪夢のような日本語になる。均衡、いやもっと親しみやすく言えばバランスが必要。

太平洋のかなたの不思議な日本語

高校・大学時代をカナダのバンクーバーで過ごし、大学卒業後の八四年、英会話教師として初めて渡日した私だが、それ以来、数週間の滞在を除けば十年以上バンクーバーを離れていたことになる。しかし数年前、「日本の殺人的な夏の蒸し暑さにこれ以上我慢できない！」という切実な気持ちも募って、春から秋にかけて、やはり古巣のバンクーバーで生活することに決めた。

ひさしぶりに帰ってきて、昔と比べたらずいぶん国際的になったな、と感心した。香港《ホンコン》からの移民が多くて、ホンクーバーというニックネームまで付いたぐらいだ。お店の看板には漢字が踊っているし、広東《カントン》語はそのうち、英語・仏語と並んで公用語になるんじゃないかと思うぐらいしょっちゅう耳にする。インド系の住民もまた爆発的に増え、パンジャブ語なども飛び交っている。それにベトナム語、ロシア語、スペイン語、韓国語、北京《ペキン》語……。

そして日本語。

正直言って、帰国する前、バンクーバーの言語事情をかなり甘く見ていた。人に聞かれちゃまずい話――「あの子、ブラのひもが見えてるよ」とか「うわぁ〜、すんごい一九分《いちきゅうわけ》。突風が吹かなきゃいいけどね」の類《たぐい》――を、混んでいる街頭でも、日本人の女房と日本語で平気で出来るだろう、と思い込んでいた。どうせ誰もわかりゃしないと。

ところがどっこい。この街は日本人だらけだ。

ウチを出て数メートルも歩かないうちに、必ずといっていいほど日本人とすれ違う。二十代前半の若い衆《しゅ》が中心で、茶髪も目立つ。ルーズソックスという、カナダでは極めて珍しい光景だって目撃したことがある。ここはバンクーバーの街なか、わざわざ出かけなくても、夜遅く部屋の中で黙々と本を読んでいると、表ではしゃぐ若者の日本語がいきなり聞こえてきたりする（「恥ずかしい！」と溜息《ためいき》をつかれる読者もおられるかもしれないけど、それは違うと思う。私も日本に留学していた頃、よく夜遅くまでどんちゃん騒ぎをやっていたから、お互い様でしょう)。

語学留学で来ている人も多いようだが、ほとんど英語の勉強にならないんじゃないかとも疑りたくなる。なにしろ、日本語だけで充分生活が出来る。日本食品の専門店に和食のレストランやラーメン屋、そしてなんと居酒屋までが軒を並べている。「みんなのコンビニ屋」という名の日本式のコンビニまであって(英名は「Minna No Konbiniya」)、日本のテレビが恋しくなったら日本のビデオも貸してくれるし、カラオケ・ボックスだって併設している。こういうお店では、「日本語が通じる」どころか、へたをすると英語の方が通じない。

一見やさしそうなカナダ人の男性に引っかけられて、そのまま結婚してしまう女性を始めとして、移民もたくさんいる。これだけ日本人が住むようになったら、地元の日本語の新聞や雑誌が登場するのも当然な成り行きだろう。バンクーバーでは複数発行されているが、そのページをめくるたびに、時々思わず吹き出してしまう。掲載している広告の日本語の面白いこと!

日本の観光客も相変わらず大勢バンクーバーを訪れて、地域経済を潤《うるお》してくれている(毎度有り難うございます)。彼らの目を引きたくて、やはり日本語の看板などを出しているお店も少なくないが、その日本語もまた楽しい。

日本人が海外に集まって、ちいさな日本人社会ができれば、日本で絶対に見かけることのない変な日本語がそこに生まれる。そのケース・スタディとして、太平洋のかなた、バンクーバーの不思議な日本語を、豊富な事例を交えてご紹介しましょう。

まず、**怪しい表記**が目立つ。

ウチの近くに「Ｇｒｅｅｎｂｒｉｅｒ Ｈｏｔｅｌ」、日本語にすると「グリーンブライヤー・ホテル」という割りかし小さなホテルが建っている。「グリーンブライヤー」とは、野ばらの種類だそうだ。濁点の位置に注意して下さい。

このホテルの建物から、バカでかい看板が突出していて、ホテルの名前が英語と中国語で書いてある。そして並んで、

クリーン フライヤーホテ

と日本語でも誇らしげに記されている。

「ル」は看板の面積の都合で割愛されたらしい。「ク」及び「フ」の右上のチョンチョンも、やたらちっこいし、大して必要ないと判断されたようだ。

クリーン　フライヤー　ホテ。宿泊施設というより、油が全然飛ばない、楽に揚物ができる調理器具の商品名みたいですね。もう、あの揚物の後の大掃除の心配は要りません！「クリーン　フライヤー　ホテ」で揚物もラックラク。お値段もお手頃、二五〇〇円の十回払い、今すぐご注文の方にはモリブデン製の包丁も無料で差し上げます……。

濁点の類はどうも難しいらしい。レストランの前の看板。献立とか、宣伝文句が横書きでごちゃごちゃ続いている中、

「プライベートルーム」

と大きく出ている。「個室もございます」ということだろう。ただ、仲がこじれたのか、「フ」に付くはずの「。」は遊離して、ずいぶん膨張した結果、一文字分のスペースを占めてしまって、独立した「ロ」に見えて仕様がない。つまり、「フロライベートルーム」。

「いらっしゃいませ」もよく目にするが、かの小さな「っ」や「ゃ」もくせ者らしい。とある店先では、入り口の上に「いらっしゃいませ」と一文字ずつ、やはり横書きで貼《は》ってあるけど、「っ」も「ゃ」も心持ち位置を下げてあるだけで、他の平仮名と大きさが一緒。おまけに「ゃ」の方は、滑って仰向けに転んだかのように約九〇度回転

している。立ててやりたい衝動につい駆られてしまう。

こんなのと比べたら、漢字の方は割としっかりしている。ただ、戦前にタイムスリップしたかのように、旧字体をあっちこっちで見かける。

「カシミアセーター専門店」

「營業中

兩替」

「以上のコースはサラダ、燒野菜、燒飯／麵《めん》、味噌汁《みそしる》、香の物、デザート、付ていいます」

「燒野菜」とは野菜炒《いた》めのことと思われる。ところで、「付ています」とは一体何と発音するんだろう。あと一個「い」が欲しいところだが、「クリーン・フライヤー・ホテ」の尻《しり》の「ル」と同じく、不必要と冷遇されてしまったらしい。

日本人でもなかなか書けない古い漢字を自由に操りながら、仮名にてこずっているのははたしてなぜだろう。憶測に過ぎないけれども、こういう表示を組んでいるのは中国系の業者が多いからじゃないかという気がする。

では、次の主題に行きましょう。バンクーバーではカタカナが、外来語の横行している日本以上に幅を利《き》かしている。現地の英語を一々訳すのが億劫《おっくう》で、そのまま日本語として使っているからだろう。

「ランガラカレッジは、7、500人のフルタイム学生と450人のインターナショナル・ステューデントが属している公立のカレッジです」

「インターナショナル・ステューデント」は留学生のこと。「フルタイム」も、日本では勤務について言うのであって、勉学についてはあまり言わないだろう。ついでに言えば、ここの「属している」もどうも引っかかる。こういう不自然な言い回しはまだあるので、以下に取り上げてみます。

「宿泊施設あり、ルーム&ボードも可」

求人広告の文句だが、私のような英語のかなり得意な人じゃないとチンプンカンプンかも。「ルーム&ボード」は賄《まかな》い付きの部屋のこと。社員寮のようなものがあるという意味だろう。簡単に日本語で言えるのにカタカナで言ってしまうのは、評論家と学者だけじゃなかったんだ。

「オープン　オールデー」

すし屋の前に出ている看板で、翻訳家としてはすごい参考になる。英語で「オープン　オールデー」と言ったら、「年中無休」という意味だと勘違いする日本人もいるかも知れないが、全然違う。むしろ『24時間営業』のライト版だ。問い合わせてみたら、十一時には閉店するとのことだ。せいぜい、お昼と晩飯の時間帯に限らないで、昼前から夜遅くまで開いているよ、という程度の意味だろう。ただ、そこがなかなか日本語にならない。

「『一日中営業中』じゃぎこちないな、『いつでもやってます』ならくだけててちょうどいいかな」などと、ありったけの知恵を振り絞ることなんかないんだ。そっくりそのままカタカナに直せばいい。「オープン」と「オールデー」の間に中黒を入れないで、スペースを一つ空けるところまで、英語の感覚だろう。

とにかくオープン オールデーだし、和食が懐《なつ》かしくて、思わずのれんをくぐってしまったとしよう。日本語のメニューに目を通せばまたびっくり。おなじみのまぐろ、鯛《たい》や鉄火巻きとかに混じって、「アボカドロール」に「スパイシーツナロール」、そして「ダイナマイト巻き」などと、妙な料理名が驚いた視線を迎える。味も、日本のそこら辺のすし屋ではおそらくありつけない、名前にちょうど釣り合った妙なものだ。

そう言えば、「板前」という単語も廃《すた》れたらしくて、英語の言い回しに倣《なら》って一般的に「スシシェフ」と言う。

日本語ではあれやこれやを平気で省略してしまうというのは、当研究室においてすでに何回となく指摘した通りだが、バンクーバーの変なカタカナも決して例外じゃない。もちろん、現地在住の日本人の間だけで通じるものばかりだ。日本本土で勝手に作ったカタカナの略語と同じく、英語ではちっとも通じない。

地元の日本語新聞の求人をぱらぱらとめくっていると、

「ワーホリの方歓迎」

という文字が頻出している。そうか、カナダの会社もやっぱワーカホリックの社員が欲しいか、と変に納得しちゃだめですよ。「ワーホリ」とは、日本の若者が一年間だけカナダで働ける「ワーキング・ホリデー」という制度を指す。

貸部屋の広告では、

「ノンスモ女性をルームメートに求む」

とか、

「スカトレに近い」

とかいうような、一見意味不明な文節が少なくない。「ノンスモ女性」とは、「相撲を取らない女性」でもなければ、「相撲を観戦しない女性」でもない。「ノンスモーカー」の略で、非喫煙者という意味だ。

「スカトレ」の方は「スカイ・トレイン」、つまりバンクーバーのモノレールを指す。

「空《そら》の電車」というすごい名前が付いているぐらいだから、立派なもんだろうな、と思いきや、実はかなり地味だ。様々な形、色や模様に富んでいるJRの電車に慣れちゃった目には、どうしてもそううつってしまう。

「ロンドン・ドラッグス」という大変便利なお店があって、一応薬局ながら、食料品に金物、家具にコンピューターまでほとんど何でも扱っている。現地の日本人の間でも非常に人気が高く、やはり日本語独特の略称が生まれたほどだ。

「ロンドラに行けばきっと売ってるだろう」

さて、大海原を越えた日本語のもう一つの特徴は、**全然こなれていない言い回しの**盛んなこと。

修理業者の広告から。

「大工、上下水道、ペイント、庭仕事、雨もりなども致します」

実に多才で、何でもやってくれるみたい。屋根が頑丈すぎてなかなかすき間が開かなくて、せっかく豪雨に見舞われても、水一滴たりとも通らず、室内が相変わらずからからで困っている方まで、お任せ下さい。雨もりも致しましておりますので。ムツゴロウあたりだとこんな業者を手配するのかもわからない。

雨もりの修理もやっていると言いたかったのだろう。

次は美容関係の広告。

「ダウンタウンの日本人用美容室　○×ヘアーサロン」

パスポートでも見せなきゃいけないんでしょうか。

「もう少し軽いイメージにしたい方に……」

まあ、ずばり言えば、極力難しい話題を避け、ぽかんとした表情を浮かべ、どんな男にでもついて行けば効果的でしょう。

あっ、髪形のことか。

「あなた自身を美しく生まれ変えてみませんか？」

「生まれ変える」という受け身と能動態の組み合わせははたしてどのような生理的過程を指しているのか、考えただけで頭痛になりそう。

「あなた自身を」という目的語も付いているわけだから、実験的に能動態に統一してみてはどうでしょう。

「あなた自身を美しく生み変えてみませんか？」

「生み直す」ということか？　それにしても、自分自身をどうやって生めというの？　一人で親子を兼ねることになるじゃないか。

「美しく生まれ変わってみませんか？」

と言いたかったんですね。

そして求人広告。

「求む　寿司《すし》&調理経験者」

寿司と調理人を求めているということか？　応募した寿司を、応募した調理人に調理してもらうわけ？　そんなはずない。

寿司の経験に調理の経験のある人を求めている、ということだろう。私は調理の方はだめだけど、我ながら寿司の経験は豊富にある。累計《るいけい》すると計り知れないほどの寿司を醬油《しょうゆ》に付けては口に運んで、嚙《か》んで、飲み込んでいる。この経験を生かしてくれると言うなら、応募するにやぶさかでない。

残念ながら、そういう意味じゃなさそう。寿司を握った経験のある人、つまり現地で言うところの「スシシェフ」で、寿司以外の調理もできる人を求めているのだろう。私じゃ問題外。私は握らない、食う専門だ。

余談だが、「寿司経験者」で、日本で活躍している著名な外国人の話を思い出してしまった。

「寿司は得意ですか」

と聞かれて、

「いいえ、下手です」

と答えてしまったそうだ。時々口を外して、ほっぺたにでもぶつかってしまうんでしょうか。

次は自称「テクノロジー系のスキルをトレーニングするための学校」の宣伝文句。

今、入学すると日本人学生ゼロ

「交通事故ゼロ」とか、「死者ゼロ」などとは言うけど、「日本人学生」もそれらと同じぐらい忌《い》まわしい存在と見られているのか。

どこの学校に入っても、日本人がやたら多くて全然英語の勉強にならないというのは、バンクーバーに留学している人の共通の悩み。このことばはその気持ちに訴えているつもりだろう。しかし面白い言い方を選んじゃいましたね。

広告を出した時点では、日本人学生はいなかったらしい。でも、「今、入学すると日本人学生ゼロ」という好条件を享受《きょうじゅ》できるのは、日本人入学者第一号だけである。期待通りの反響があれば、このセールス・ポイントは持続不能なわけだ。

私も痛いほど認識しているが、日本語の中でも、いわゆる「てにをは」は特に難しい。

「Ｄｒ・○×では、ダウンタウンのセントポール病院前に歯科クリニックを開設しています」

「Ｄｒ《ドクター》・○×」は、「マツモトキヨシ」よろしく、個人名を転じて屋号に使っているということだったら、「では」という助詞コンビでよかったのかも知れない。でも残念ながら、Ｄｒ・○×とはある歯医者さんの名前だ。確かに、組織の場合は、例えば「国土交通省では、建設省の輝かしい腐敗の歴史を大切に守っております」などとは言う（あくまで例文です）。しかし個人については、「では」をこのように用いない。

少なくとも日本本土では。

「長距離電話は高くはありません」

電話会社の宣伝文句で、言いたいのは、ウチで「長距離電話」をかけたら意外と安いよ、ということだろう。ただ、あの「は」を挿入したことによって、「高くはないが安くもない」というニュアンスを込めてしまった。この会社のサービスの方はどうだろう。悪くはないというとこかな。

敬語もなかなかしっくりいかない。

土産物店の窓に貼ってある紙。

「日本円でお支払いできます」

さて、これはどういう意味なのか、分析してみましょう。「お支払いできます」は「お支払いします」という謙譲語から派生した形で、それをする能力があることを表す。謙譲語は言うまでもなく、自らのことをへりくだって言う。この場合、主語は土産物店側になってしまうわけだ。

「当店は日本円でお支払いできます」

日本円で何を支払ってくれるのかはよくわかんないけど、もうかりそうな話だから、取りあえず足を踏み入れてみようと……。

本当は、お客さんの方が買い物の代金を日本円で払ってくれてもいいよ、と言いたかったに違いない。つまり、

「日本円でお支払いいただけます」

だが敬語の微妙さに惑わされ、ちょうど逆のことを言ってしまったのだ。

よく似たものにこんな例もある。

「弁護士お探しですか？

日本語でご相談できます」

日本語の喋《しゃべ》れる弁護士さんを見つけて相談に乗ってあげてどうする？

「メガネ&コンタクト専門店　1時間でお作り」

まるで賢い犬に話しかけている口調かのようですね。「お手」「お座り」「1時間でお作り」。大した芸じゃないか。

こうしたこなれていない日本語の中には、**英語の感覚で書かれたもの**、あるいは**明らかに英語から直訳したもの**も多い。

「従業員募集
・クック　・キッチンヘルパー
・その他　・英語も少し話せる方
ワークビザの可能性あり」

「英語も少し話せる方」という注文は、現地在住の邦人の語学力がどれほど期待されていないのかを端的に表している。でも一層引っかかるのが、「ワークビザの可能性あり」というフレーズだろう。「ワークビザ」はカナダで働くのを許可する、就労ビザのことだが、その「可能性あり」とは一体何だろう。

正体不明の公文書が見つかって、鑑識にその検査を依頼した結果、確証は得られないが「ワークビザの可能性あり」ということか。

求人なんだからそんなわけない。当社は保証人になってワークビザを取得するのをお手伝いできるかも知れないヨ、とアメをちらつかせているのだ。英語の表現法を借りて。

もう何カ月も英語を学んでいるのになかなか上達しない方
今のあなたの学校に満足していますか？
今のあなたの先生に満足していますか？
今のあなたの英語力に満足していますか？
真剣に英語が話せるようになりたいあなたのための…
○×ランゲージインスティテュート

この「あなた」の連発はやたらくどいじゃないか。最初の三つは全部蛇足だろう。「今の学校」「今の先生」「今の英語力」とだけ言っても、「確認させていただきますが、誰の今の学校、誰の先生、それから誰の英語力でしょうか？」という問い合わせの電話がかかってくる心配はまずない。
こうして「あなた」をしつこく入れてしまうのは、英語の「ｙｏｕ」の発想だろう。代名詞を一々言うのは英語の特徴。案の定、バンクーバーの不思議な日本語では、このような英語式の代名詞が多用されている。

「２０００年６月１日から２０００年６月30日まで『スーパーアジア』の長距離電話プランに加入し、われわれのお客様になられた方には10ドルのクレジットを差し上げます」

「われわれのお客様になられた方」はいかにも英語らしい、日本語としてはややくどい言い方。第二部でご紹介した社長の挨拶《あいさつ》みたいな和文を英訳している際、私は「当社」や「弊社」に「ｗｅ」「ｏｕｒ」などをよく当てたりする。ここの「われわれ」は、この英語の表現法を日本語に導入したものというわけだ。自然な日本語に言い直すんだったら、代名詞なんか全然要らない、「ご契約のお客様」程度で充分でしょう。

広告はこう続きます。

「忘れないでください！　２０００年６月30日までにプライマスに参加すれば、あなたのアカウントに＄10のクレジットが振り込まれます」

「プライマス」は広告を打っている会社の名前だが、英語から直訳した文面だというのが一目でわかる。かの唐突な「忘れないでください！」。「加入」とあるべきところに「参加」。そして「あなたのアカウント」。

ところで皆さま、最後の文章を正しく解釈できたでしょうか。どう見ても、「ご指定の銀行口座に十ドルお振り込みいたします」というふうに取れますよね。しかし、原文は拝見していないけど、訳文からはほぼ復元できる。直訳すれば「あなたのアカウントに$10のクレジットをします」。「十ドル分の割引をさせていただきます」というぐらいの意味で、「アカウント」にそんな深い意味はない。実は、訳した本人も(日本人と思われる)、この「アカウント」という、英語では日本語より広い意味のことばにだまされ、勘違いしたらしい。

英語をそのままカタカナに直すと、誤解のもとになりかねないわけだ。

メガネ&コンタクト専門店

1時間サービス

日本語で「1時間サービス」と言うと、「一時間は無料」というニュアンスだろう。しかしまる六十分、ただで何かやってもらえるんだと思ってたら甘い。それは日本語独特の感覚で、ここで言いたいのは、英語で言うところの「1 hour service」、つまりさっきの「1時間でお作り」と一緒で、「一時間でお作りいたします」という程度のことだ。

店先にこんな表示を掲げている免税店もある。

「バンクーバー空港よりご出発の国際線乗客のみサービスいたしております」

ここで買い物すると景品は自分で選べないみたい、バンクーバー空港よりご出発の国際線乗客ぐらいしかサービスしてくれないのか。どうせもらうんだったらスチュワーデスさんの方がいいしね……。

という意味じゃない。「サービス」をまた、英語の頭で「奉仕する」「対応する」などという意味で使っている。

英語式の表現をそのまま日本語に取り入れた結果、伝えたい意味と微妙にずれるニュアンスになってしまうことも珍しくない。

「英語を教える仕事がしたいのですか？　それともサービス業でいいですか？」

英語の学校の宣伝がこう脅している。少なくとも、口調はそんな高飛車なものだ。英語の教師になりたいか？　なりたくないと言うなら、一生サービス業に身を置く結果になるが、それでいいのか、君？

二者択一。人生の選択肢としてはやたら少ないじゃないか。

言いたかったのはきっと、ウチを卒業したら、英語の教師とか、サービス業とか、進路は色々あるんだ、というぐらいだろう。

同じように、そんなつもりは全然ないのに喧嘩《けんか》を売っているかのように見えるのは……。

「今後、銀行や金融関係の質問がありましたら、オンラインでどうぞ。もし自分はこれまで通りのやり方がいいと思われる方は……」

「くたばっちまえ」という趣旨のことばを期待してたら、こう続く。

「これまで通りのやり方も大歓迎です」

とにかく英語的な言い回しは溢《あふ》れている。

「あなたには興味を持っている学校がありますか？」

「正確な学校の紹介（あなたが考えているどんな学校でも）」

「車のローンがもらえず、車を買えない人

困っている人。今すぐお電話ください！

・誰にでもローンします」

「ほかにわれわれが用意しているものは？」

たまには、単なる妙な言い回しより一歩踏み込んで、ほとんど意味不明な日本語に出会ってしまう。

「私達はグローバルコミュニケーションの訓練を準備しています」

「今年で9回目を迎え、世界中から人気を集めているTAMWOOD WHISTL

ER SUMMER PROGRAMMEに引き続き、今年新しく設けたプログラムで名門○×大学で行ないます。
日程：7月16日から8月13日の2週間から」
こんな変な日本語がはびこっている以上、日本語教育にもっと力を入れるべきだという意見もあるかも知れない。幸い、地元に日本語の学校は一応ある。ただ、その宣伝を見ると絶句してしまう。

「感受性豊かないたわるのある心を持つ望ましい人間形成の基準を作り上げる。各生徒の自発性を大切に、のびやかに楽しく日本語を学び、リーダーシップの育成を指揮」

こんな調子じゃ、太平洋のかなたの不思議な日本語を改善するのも至難の業だろう。
以上、かなり意地悪にバンクーバーの日本語をからかってきたわけだが、今後海外へお出かけの際は、名所を回って、おいしいものを食べるついでに、現地の変な日本語に接してみてはいかがでしょうか。旅心はさらに深まることでしょう。
ただし、英語圏の人間の目には、日本に溢れている英語も、同じぐらい滑稽《こっけい》にうつっているのも忘れないでおきましょう。私なんか人のことはとても言えないけど、長く海外に住んでいる日本人の日本語がちょっと不自然になるのと同様、私の英語もまた、どっか日本語に染まってしまっている。

ことばも人間も、どうしても周りの影響を受けてしまうんだな。

カタカナ進出の限界

日本語そのものを今にも圧倒しそうに見える外来語の氾濫《はんらん》。実は、文法的に言えば、外来語の入り込めるスキはかなり限定されている。カタカナの形容詞はどれほどあるのだろうか。「ナウい」ぐらいしか思い浮かばない。カタカナの動詞は？　「する」の付くもの以外は、両手の指で数えられるほどだろう――「メモる」「パロる」や「サボる」など。

どうしてこんなに少ないんだろう。形容詞も動詞も活用するから、語尾は決まった形じゃないといけない。形容詞の終止形はイに、動詞の終止形はウ段に終わる。外来語はこの規格に必ずしも合わない。

確かに、合うこともある。第一部の「品詞の相互交流」で取り上げた「トラブる」や「ダブる」みたいに、たまたま日本語の動詞の活用表にきれいに収まるから動詞化したものもある。この現象はもっと広まってもよさそうに思える。日本語の音声構造との兼ね合いで、ウ段に終わる外来語は実は少なくないから。そこで想像をたくましくすれば――

「このズボン、プレしてもらえますか」

「プレすんですね。はい、お客様、かしこまりました」

あるいは――

「今日は久しぶりにドライぼうよ」

「そう言えばずっとドライんでないよね」

しかし、外来語をそのまま動詞として活用するのは結局、極く少数の例外にとどまってしまった。いくらウ段に終わると言ったって、ほぼ活用不能なものもあるし。「ジョギング」とかは一体どうやって活用しろというの？

一方、外来語をそのまま形容詞として活用するケースは、まったくなさそうだ。理論上はまたやはり、充分可能だが。偶然にも、英語にも「イ」と発音する「y」に終わる形容詞が多いから、なおさらのことだ。そこで再び想像をたくましくすれば――

「あの女性見た？　すごいセクシかったよね」

「セクシくないわよ、全然ッ」

「セクシー」のシク活用ですね。

あるいは——

「一緒にハッピくなろうよ」

「……ごめん。ハッピすぎて涙が出ちゃった」

終止形と同じ音に終わらなくても、外来語を動詞や形容詞にする方法は、理論上は他にも考えられる。「メモる」や「ナウい」のように、必要な語尾をくっつければいい。例えば——

「ボールをキャッチる練習から始めよう。じゃ、スローるよ」

「あッ、落としちゃった……どうもうまくキャッチれないな」

あるいは——

「ハードいスケジュールだね。無理しないでよ」

「心配しないで、そんなハードくないよ」

しかし現実には、このような語尾の追加も結局ほとんど行われていない。非関税障壁じゃないけど、動詞・形容詞の活用は事実上、進出しようとする外来語にとってなかなか高いハードルなわけだ。カタカナはこの二つの品詞からほぼ完全に締め出されている。

副詞に至っては、外来語ゼロという驚異的な成績をずっと維持してきたと言っていいだろう。当研究室一流の気まぐれな調査の結果、「とっても」「ちょくちょく」や「到頭」と肩を並べられるような、外来語一〇〇％の副詞の存在は、現在までに一つも確認できていない。

もちろん、「スピーディーに解決する」の「スピーディーに」のような表現はいくらでもある。でも、「に」という純日本語の力を借りて初めて副詞になりえたものばかりだ。また、「大変」という意味の「ベリー」は学校の教科書などを通して一応日本にも上陸してはいる。その代表格は、数年前注目された女子高生の「チョベリバ」。「超ベリー・バッド」の略で、「非常に悪い」という意味だ。けど、この「ベリー」は普通に使わない。「ベリー愚かしい行為」とか、「ベリーうららかな春の日」とか言っている人物がいるとすれば、そりゃベリー変なヤツに決まっている。

じゃ、どうして外来語は副詞の分野にまったく参入できないでいるのだろうか。動詞や形容詞とは違って、副詞は活用しないから、語尾が合わないとかいう問題じゃない。むしろこういうことじゃないだろうか。形容動詞＋「に」という形で作ったものは別として、副詞は日本語の基本語彙《ごい》ばかりで、必要なものはすでに全部揃《そろ》っている。いくら国際化が進みインターネットが普及しても、「もう」や「少し」や「全然」みたいなものを補足するカタカナの副詞は別に要らない。そんな副詞が生まれたとすれば、外来語がかつてないほど日本語の深層に潜り込んだことを意味するだろう。今のところ、外来語にそこまでの浸透力はなさそう。

ましてや助詞や助動詞など、日本語の骨格をなす部分を揺るがすとは到底思えない。日本語自体を廃止し英語を公用語として採用するというもったいないことをしない限り、「オブ」が「の」を、「ノット」が「ない」を追い払う日は永遠にこないだろう。ずっと長く、深く日本語に入り込んでいる漢語でさえ、そこまで日本語の構造を変えていないのだから。

外来語の圧倒的多数は名詞ばかりだ。もちろん、「な」を付けることによって修飾語となる、いわゆる形容動詞も中にある（「フレンドリーな対応」「シリアスな人」）。だが形容動詞もこの場合、名詞の一種と考えていいだろう。「スタンダードの整備」「スタンダードな方法」みたいな両刀づかいもあるし。

また、動詞として活躍しているものも珍しくない（「イメージする」「サーブする」）。けどこの使い方は、名詞に「する」を足しただけで動詞に仕立てられるという日本語のすこぶる便利な機能を応用した程度の話だ。

「ビール一ケース」「牛乳二パック」みたいに、助数詞として扱われる外来語もあるが、これも本来、「リンゴ三箱」や「一癖も二癖もあるヤツだ」などに代表されるように、日本語の名詞の用途のうち。

言い換えれば、十前後ある日本語の品詞のうち、外来語が大きく踏み込んでいるのは名詞と、その延長線上にあるものだけである。

借入先の言語で違う品詞だったことばでも、一旦《いったん》日本語に取り入れられてしまうと一律に名詞として扱われがちだ。「アベック」はフランス語では「〇×と一緒に」という意味の前置詞だが、日本語では「男女の二人連れ」を指す名詞で、意味とともに品詞まで変わっている。

英語の「アバウト」は「約、おおよそ、大体」という意味の副詞だが、日本語では「大ざっぱな」という意味の、やはり名詞（形容動詞）に変身している。

外来語は広く、浅く日本語に分布しているわけで、日本語の構造そのものに何らの影響も及ぼしていない。それどころか、おびただしい数にもかかわらず、日本語の文法に完全に飲み込まれてしまっている。大した包容力だ。

パソコンの中の不思議な日本語

明治時代、西洋の文物がどんと入ってきてたころ、日本人は必死になって西洋の本を訳した。こなれた日本語にする余裕もなく、原文の字面にぴったりそって訳していったわけだから、「欧文直訳体」という大変不思議な文体が生まれた。その名残は、「にもかかわらず」や「何々しつつある」などという形で、今日の日本語にも残っている。

最近、妙な直訳がまた日本にあふれ出した。ウインドウズやアイマックの人気で、日本中のパソコンの基本ソフトはほとんど英語から直訳されたものとなって、その訳はさっき詳しく調査したバンクーバーの変な日本語に負けないぐらい笑える。

ここでは、かねてから愛用しているマックを例に取り上げるが、ウインドウズも大同小異だろう。なお、パソコンをあまり使ったことのないいわゆる情報弱者の方々は、以下に言及する色々な作業がピンとこないかも知れないが、気にしないでください。あくまで日本語の奇妙さに注意しましょう。

私は律義《りちぎ》なヤツで、毎日必ずデータのバックアップを取るようにしている。ハードディスクからフロッピーなどにデータを移す際、こんな警告がよく画面に表示される。

「ここにあるいくつかの項目が、移動中の項目と同じ名前です。移動中の項目と入れかえますか？」

「項目」とは一般的に一つの箇条などを指すんだから、リストの編集の話でもしているのかと思ってたら、全然違う。ここで言う「項目」は英語の「アイテム」の直訳で、この場合、パソコンで作った「書類」を意味する。英語の「アイテム」はかなり広い範囲をカバーし、「個々のもの」というニュアンスがある。例えば「自分の所持品」を「パーソナル・アイテム」、「服一枚」を「アイテム・オブ・クロージング」とか言ったりする。ただ、だからと言って、日本語でこれにならって、まさかこうは言わないだろう――

「最近盗難事件が頻発していますので、ご自分の個人的な項目からお目を離さないでください」

あるいは、

「あのコートは誰の衣類の項目かね？　君のか？」

パソコンの中に限って、「項目」はこんな無理な扱いを受ける。

「いくつかの項目」の「いくつか」もいかにも英語的だ。そして「移動中の項目」の方はまるでさすらいの身。

警告の内容は自然に言い直せば、「移そうとしている書類の中には、移動先のものと同じ名前の書類もありますが、入れかえてもいいですね」ということだ。

「移動中の項目と入れかえる」ことにしよう。うっかりして、その中にまだ開いている書類があったら、今度はこんなぶっきらぼうなことばを浴びせられてしまう恐れがある。

「○×（書類名）は、置き換えられません。これは使用中です」

びしびし言ってくれるね。「失礼いたしました」と思わず恐縮してしまう。それにしても、その「これは」は何だい？ もしかすると英語の「イット」か？ 全体のお叱《しか》りのトーンに合わせて、むしろ「こら！ 使用中です」とでも表示した方がぴったりかも。

さらにドジって、ディスク自体をそのディスクの中のフォルダの一つに落とそうとしてしまったら、パソコンはまた戒めてくる。

「それ自身の中には移動できません。したがって、〝○△（ディスク名）〟をフォルダ〝△×（フォルダ名）〟に移動できません」

あまりにも面白い言い方で、退屈している時、わざといろんなディスクを「それ自

移動中の項目“書類”と同じ名前の項目が、すでにここにあります。移動中の項目と入れかえますか?
キャンセル
OK

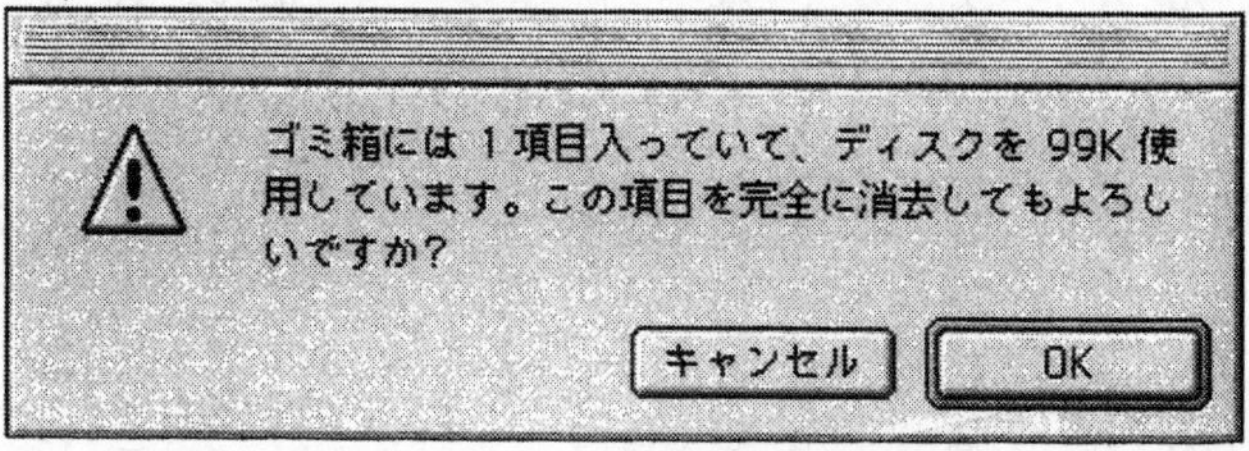
ゴミ箱には 1 項目入っていて、ディスクを 99K 使用しています。この項目を完全に消去してもよろしいですか?
キャンセル
OK

身の中に」移動してみてこのメッセージを表示させて楽しんでいるんだ。

次に、コンピューター上で作った書類がもう要らなくなったとする。まず、ゴミ箱の形をした、その名も「ゴミ箱」というものに仮に入れておく。この状態だとまだ取り返しがつくが、ゴミ箱の中身をいよいよ永遠に消去したくなったら、メニューから、

「ゴミ箱を空に……」

というコマンドを選ぶ。日本語で普通、「ゴミ箱を空にする」とははたして言うのでしょうか。英語そのままだ。「ゴミを出す」とでも直したいところだ。「アナタァ、ゴミ出しといてね」とか。

最近のパソコンはすごいもんで、不明な点があったら画面上で何なりと教えてくれる。ただ、日本語が信じられないほどへたくそ。何を言いたいんだかさっぱり分からないことすらある。

不案内なアイコン（絵）があるとする。カーソルをその上に置いただけで、教育してもらえる。例えば――

「これはフォルダ（関係のあるファイルを入れておく場所）です」

じゃ、関係ないファイルはどこに入れるんだろう？　互いに関係のあるファイル同

士ということだろうな。

では、このアイコンは？

「フロッピーディスク

フロッピーディスクは、ファイルやフォルダを保存するための小さな携帯可能な装置です」

霞《かすみ》が関《せき》のお役人が認《したた》めそうな文章じゃないか。「持ち運べるもの」と言わないで、「携帯可能な装置」としゃちほこ張っている。英語から直訳したからこんな堅い日本語になっちゃったんだろう。

そしてこいつは？

「CD-ROMディスク

CD-ROMディスクは、大量のファイルやフォルダを保存しています。CD-ROMディスク、読み出し専用メモリ〟をあらわします」

何だって？ CD-ROMをいじっても落としても壁に投げつけても「コンパクトディスク上の情報は、変更したり削除できません。CD-ROMは〝コンパクトディスク、読み出し専用メモリ」らしきものを「あらわして」くれないしな。あっ、そうか。きっと、「CD-ROMは、『読み出し専用メモリのコンパクトディスク』という英語の略だ」と言いたかったんだ。それを「あらわす」と表現するのは極めて珍しい用法だな。

次に、画面上にたくさんウインドウ（情報が表示される枠）が重なっていて、後ろに隠れているやつは一体何だろうと知りたくなったとしよう。すると、例えばこんな説明が登場する。

「このウインドウはアプリケーション〝Microsoft Word〟に依存します」

特定のアプリケーション・ソフトに「依存」しているという話だが、具体的にどのように頼っているのだろう。扶養家族か？　仕送りをしてもらっている？　居候《いそうろう》をしている？　今はやりのパラサイト・シングル？　すねをかじっている？　養育費を出してもらっている？　頼みの綱としている？　心の支えにしている？　慈悲にすがっている？

この例文では、世界最大のソフト会社・マイクロソフトが開発したマイクロソフト・ワードに依存しているということだから、寄らば大樹の陰精神か？

考えてみれば、私も翻訳の仕事をしている時、マイクロソフト・ワードに結構頼っているが、このウインドウも同じように頼っているのか？

一体どのようにマイクロソフト・ワードに「依存」していると言うのだ！　実は、マイクロソフト・ワードの中のウインドウの一つだというぐらいの意味だ。説明はこう続く。

「このウインドウを一番手前に表示する場合に、このウインドウ内をクリックします」

「クリック」とは、画面上のポインタと呼ばれる斜に構えた矢印を、好きなところに移動してマウスのボタンをカチッと押すことだ。さて、当ウインドウを一番手前に引っ張ってくるには、その中をクリックすると言っているが、誰が？　つまり「クリックする」の主語は？　ウインドウか？　ウインドウが自ら手を画面からマウスに伸ばして、「それ自身の中」をクリックするということか。すごい機能じゃないか。ウインドウと握手さえしたくなる。

いや、そんなはずない。ウインドウを一番手前に持ってきたい場合、その中のどっかをクリックしてください、ということだとしか思えない。パソコンよ、おまえにありったけの財産を注ぎ込んだのに、そんな簡単なことも言えないのか。

パソコンの中の不思議な日本語はどこまで、「ベルリンの壁」などのように、根づくのだろうか。本当はコンピューターを日本語に合わせてもらいたいんだがな。

その逆じゃなくて。

造語の借入先

本国カナダの友人が大学で古代ギリシア・ローマ文学を教えている。そのかたわら、医学用語の授業も受け持ち、教科書まで執筆している。

大平原の小さな田舎町、人材足りず、古典の先生である彼は、この辺境の地で医者のたまご達を自らの手塩にかけるしかない。というのは全くのうそ。英語の医学用語や学術用語一般はどうやって生まれたかと言うと、近世の学者が古代ギリシア語・ラテン語を都合よく組み合わせて、新語をどんどん造出していったのだ。例えば「サイコロジー」(心理学)は、「心」の「話」という、ギリシア語の二つの単語を借用し、くっ付けたものだ。古典の先生が一番よくわかっているわけ。

日本語の場合も、新しい単語を造り出すのに、長いあいだ、漢語つまり中国の古文のお世話になっていた。明治時代には特に、「哲学」や「小説」や「社会」みたいな漢語系の新語がいっぱい生み出された。

昨今はしかし大分違ってきた。造語の主な部品調達先は、いつの間にやら英語にく

カタカナ語の正しい造り方
くっつけたり略したり、コツは語呂の良さ、ですかねえ
ー以上!
いいかげんな…

ら替えしている。これはある意味では不気味な話。古代ギリシア語やラテン語とは違って、英語はまだ死語じゃないから。生体移植みたいなもんだ。

昔は、西洋から来たものでも、「洋服」など、よく漢語で表した。今はむしろその逆。「旗袍《チーパオ》」という中国の婦人服がある。これは北京《ペキン》語の呼び名で、広東《カントン》語では「長衫《チエウングシャーム》」と言うらしい。裾《すそ》から太腿《ふともも》にかけて切れ目が入っていて脚線美がちらりと見える、日本でもお馴染《なじ》みのワンピース式のものだ。しかし漢字をそのまま音読して、「旗袍《きほう》」とか、「長衫《ちょうさん》」とは呼ばない（「長衫」という日本語は一応あるようだが、違うものを指すらしい）。わざわざ英語にもない新しいカタカナ語をこさえているのだ。

「チャイナドレス」

英語の感覚だったら、「チャイニーズ・ドレス」ぐらいにするかも。なぜなら、「チャイナ」をこのように修飾語として使った場合、例外もあるが、「中国の」というより、「陶磁器の」というニュアンスになりがち（「チャイナ」は元々中国製の磁器、現在は陶磁器一般を指すことから）。「チャイナドレス」はつまり、「陶磁器のワンピース」と誤解されるかも。藤原紀香《のりか》さんあたりが身にまとったら、はち切れんばかりじゃなくて、割れんばかりですね。

じゃ、「チャイナドレス」のことは英語で何と呼んでいるかというと、広東語の「長衫《チエウングシャーム》」をそのまま借用して「cheongsam」と言う。

別に「チャイナドレス」という言い方に異議を唱えているわけじゃない。カタカナことばは日本語なんだから、英語の感覚に合わせる必要なんかもちろんない。英語じゃ不可能な組み合わせでも、日本語では平気。「イメージ」+「アップ」や「サラリー」+「マン」みたいなコンビは、英語としては怪しいが、立派な日本語だ。組み替えて、「イメージマン」や「サラリーアップ」だって、何となくありそうな語感。それぞれ広報担当と、春闘の要求項目、というところだろうか。

なかなか独創的な造語も多い。肌の触れ合いを指す「スキンシップ」。英語では全然通じないけど、逆輸入したいぐらい。誰が造ったか知らないが、「親族関係」という意味の「キンシップ」をかけていたとすれば、すごいセンスだ。「友達」に「ホモ」をかけた和英折衷の「ホモダチ」もしゃれていていい。そう言えば、「ニュー・ハーフ」や「ミスター・レディー」も、どっちも和製。

英語は現代の日本語にとって、明治時代の日本語にとっての漢文、また、英語にとっての古代ギリシア語やラテン語みたいに、新語の原材料の供給源なわけだ。しかし根本的に違うのはこの気楽さ。

新語を次々と生み出した明治の知識人は漢文を熟知していた。

英語も、ギリシア語・ラテン語の規則をある程度守りながら新語を造ってきた。確かに、さっきの友人も嘆いているように、西洋で古典をほとんど勉強しなくなった今、かなりいい加減になってきてはいる。最近日本でも話題の「アロマセラピー」（芳香療法）がその一例。ギリシア語が語源で、屁理屈《へりくつ》を言うと正確には「アロマトセラピー」でなければならないはずだけど、もう手遅れ。

しかし今日の日本語の方は英語のルールを見事なほど無視している。日本の大学で、英語の専門家が「カタカナ語の正しい造り方」講座をやっているなど、聞いたこともない。

第四部　文字に夢中

字も「左へならえ」!?

裁判の判決文などが二〇〇一年より横書きに改められた。白書をはじめ、役所書類はすでに横書きが基準となっており、パソコンの普及も拍車をかけ、横書きはかなり一般化してきた。二十一世紀を迎える今日、いよいよ縦書きに別れを告げる時期に差しかかっているのではないか。

世界的に見ても、アルファベットを中心に、左からの横書きはグローバル・スタンダードである。漢字の本場、中国でも、横書きは定着している。日本語だけは、文字どおり字流に逆行しているのだ……。

ちょっと待った。そんな主張は、オーストラリアが上になっている世界地図を見て、「逆さまだ」と決め付けるのによく似た思い込みじゃないか。地球に「天地無用」が当てはまらないのと同様、文字だって、左から右への横書きでなければならない理由はどこにもない。上下に書く文字もあれば、アラビア文字やヘブライ文字みたいに、右から書く横文字もある。知ってる限り、下から上へと記す文字や、斜めに記す文字

クルマなどに見かける右綴りは解読しづらい
(有)うどんえ
グンビリ・アリテンイ
う・ど・ん・え・・・?

はさすがにないようだが。

そもそも欧文を左から綴《つづ》っているのも歴史の気まぐれに過ぎない。アルファベットはフェニキアや古代ギリシアにさかのぼるが、初期ギリシア文字は実は右から綴ったのだ。それが途中で一時期、大変不思議な表記法に変わった。交互に右から左、左から右へと行ごとに方向を切り換えていった。左から右への一方通行がやっと定まったのはその後。

横書きを推進する根拠として、もっとも怪しいのは「国際化」という、そこら辺中に出没しているやつかも。和文を横書きにしたところで、日本語がわからなきゃ、ちっとも読みやすくなるわけじゃないし。いくら国際化と言ったって、文字は人間と一緒で、みんな同じ方向に走ったら面白くないですね。

日本語は非常に融通が利《き》き、縦書きも横書きも可能なわけだから、どっちかに統一するのももったいない。横書きに限っても、今でこそ左から書くのが普通だが、戦前の新聞などでは見出しは右から。これほど方向性に柔軟な文字は珍しいだろう。

歴史的に見て、日本の文字にはもう一つ珍しい特徴がある。日本史を勉強していたころ、古文書にも挑戦してみたが、あきれたことに、書く順番と、読む順番が違うじゃないか。例えば江戸時代の借用証書の類《たぐい》だと、よく「為後日仍如件」のような文言で締めくくるんですね。これは素直に「為《ため》後日仍《よ》って如《ごと》く件《けん》」などとは読まず、「後日の為《ため》、仍《よ》って件《くだん》の如《ごと》し」と読むそうな。

せっかく勉強したのに、このひねくれた順狂わせの表記法がほとんど廃《すた》れてしまったのはちょっぴりさびしいけど、その名残は現代日本語の端々に潜んでいる。「含消費税」「禁無断転載」「至新宿」「乞《こ》う御期待」

そう言えば、どういうわけか、「￥１００」は「円百」とは読まない。英語でも、「＄１００」は順番を逆にして「ハンドレッド・ダラーズ」。通貨を表す記号を一番前に持ってくるのは、現代文明特有の、カネに対する尊敬の表れなんだろうか。カネも大切だが、日本語の多方向性も大切にしたいもんですね。

振《ふ》り仮名《がな》をふんだんに振《ふ》りましょう

最近新しいパソコンを買った。ワープロのソフトも入っていたから、永年愛用していたソフトからくら替えしようと決心した。だがいざ使ってみたら、なんとルビを付ける機能がない。そこで元鞘《もとさや》。

やはり振り仮名なしでは生きられない。そのおかげで「黜陟《ちゅっちょく》」や「鬻《ひさ》ぐ」や「屑《いさぎよ》し」

とせず」のようなひねくれた字だって読める。固有名詞はなおさらのこと。振り仮名が付いて初めて、福岡県の「頴田町」や別府の「鉄輪」温泉や岡山市内の「内山下」などは、「頴田町《かいたまち》」「鉄輪《かんなわ》」「内山下《うちさんげ》」と、よそ者にも読める。昔「中島」さんや「吉川」君という知り合いがいた。簡単そうでも、振り仮名がないと「中島《なかしま》」「吉川《きつかわ》」と、地元以外ではなかなか正しく読んでもらえそうにない気がする。

ところで正確な読みがわからないとアルファベットでつづれない翻訳家として、日本語の紛らわしい地名や人名に悩まされることがしばしば。そっくりそのまま仮名を振ってくれりゃいいのに、といつも思う。

しかし読みをリアルタイムで教えるのは、振り仮名の原点に過ぎず、そこからいろんな展開がある。まず、作家などにとっては表現力を広げる便利な道具だ。振り仮名で読みを確定しておけば、自由に漢字を当てることができるのだ。「慌《あわ》てる」を「周《あわ》章《てる》」、「顔つき」を「容貌《かおつき》」、「コンプレックス」を「憂鬱《コンプレックス》」と表記する類で、同時に二つの語彙《ことば》を併用《つか》えるのも同然。物事には限度《ほど》があるが。「寒気《あつさ》も彼岸まで」じゃ調子にのり過ぎ。

漢字に片仮名を振る場合、本来の役割分担が逆転することが多い。つまり振り仮名が漢字に対する発音記号ではなく、漢字がむしろ振り仮名に対する脚注なのだ。古代

母がさつでー
ハッ
漢字のビミョーなニュアンス……
キッ
いえお義母《かあ》様のことでは、

ギリシアの女神勝利《ニケ》。市場《マーケット》の目は厳しい。世界標準《グローバルスタンダード》にのっとった企業倫理。

振り仮名を付ける対象は漢字ばかりではない。数字にも付けられるが、この場合は、憶《おぼ》えやすくしてくれる効果がある。受験生の皆さんも、年代の暗記法という形で大いにお世話になっている。８９４《ハクシ》（白紙）に帰した遣唐使。１３３３《イチミサンザン》（一味さんざん）鎌倉幕府滅亡。

同じ面で、振り仮名はマーケティングでも格好なルーツとなる。企業としては、消費者に電話番号をぜひ憶えてもらいたい。そこで脳裏に焼き付く仮名を振る。０１《オーイ》—２３２３《フサフサ》。００《ゼロゼロ》—９６９６《クログロ》。かつら業界大手のフリーダイヤルですね。ある全国紙は０１２０《フリーダイヤル》—４６８《ヨムハ》—０１２《マイニチ》と触れ込んでいるが、最後の三けたにはちょっと無理があって、難訓と言わざるを得ないだろう。

振り仮名はとにかく便利だな。

古代文字オタクの見た日本語

「これが文字とは合点が行かぬ」

福沢諭吉が初めてａｂｃを習った時、こう首をかしげたそうだ。でも日本人に、人の文字に文句をつける権利がはたしてあるんでしょうか。

古今東西を通じて、日本語ほど繁雑な表記法があれば会ってみたいぐらい。変な文字と言えば、古代エジプトのヒエログリフを連想する人が多いだろう。男女、鳥や爬《は》虫類《ちゅうるい》に、ばらばら死体を彷彿《ほうふつ》とさせる目、手や足など、様々なマンガチックな絵を無造作に混ぜ合わせたみたいな文面で、とても読めたもんとは思えない。しかしおびただしい数に見えても、ヒエログリフの総数は、平均的な漢和辞典に載っている漢字よりかなり少ないらしい。

じゃ、そこまで言うなら中国語はどうだい。

確かに、仮名に当たるものはなくて、漢字のかたまりで複雑そうだ。でも、漢字一つに読み一つが基本。もちろん多少の例外はあるが。それと比べて日本語は……。

そこで一つ面白いエピソード。

十九世紀半ば頃、バビロニア語の楔形《くさびがた》文字がイギリス人のローリンソンらによって読み解かれた。だがその過程で大きな疑問が生じた。同一の文字で、二つ以上の全く違う読みのあるものがやたら多い。解読はこの路線じゃ明らかに間違っている、と人人はバカにした。

「一つの文字に、読み方が色々あっていいもんか。ややこしくて当のバビロニア人たちでさえ読めたはずがない」

単純なアルファベットに慣れたヨーロッパ人の頭じゃなかなか合点の行かぬ話だった。

小学生以上の日本人なら朝飯前だが……。次の、ちょっと無理な例文で考えてみよう。

「生まれは下町、生い立ちもそう、生命《いのち》ある限り生粋の江戸っ子。芝生の生垣づくりが一生の生業《なりわい》。草が生えるから生やさしいもんじゃない」

同じ文字に読みがなんと十もある。複数読みに異議を唱えたさっきの連中が見たら、さすがにショックで卒倒するだろう。一方、当の日本人たちは平気で読めている。

そう言えば、通訳のバイトを通して、古代メソポタミアが専門の、大英博物館の学芸員と話す機会に恵まれたことがある。その人は大変おもしろいことを指摘した。

「楔形文字は日本の文字と構造的に非常によく似ているから、日本の学者が本格的に楔形文字の研究に乗り出したら、我々西洋の学者の方はとても太刀打ちできないでしょう」

ここでいよいよ告白しなければならないだろう。

私が日本語にすっかり魅了されてしまった理由の一つは、その表記法の古代文字との類似性だった。

なにしろ十代の頃は、ちょっとした古代文字オタクだったのだ。普通の少年が野球とか、アイスホッケーに夢中になっている時に、私は博物館で楔形文字にエジプトのヒエログリフや古代ギリシアの石碑などを一所懸命写していた。紀元前八世紀か七世紀前後のペルシアの石碑の拓本を取ろうとして、警備員に叱《しか》られたことまである。また、近くの大学の図書館に缶詰めになって、三五〇〇年ほど前のクレタ島の「線文字《せんもじ》A」を読み解こうとした時期もあった。ちっとも成功しなかったが。ちなみに線文字Aは、今でも解読されていない。

そんな古代文字オタクとして、日本語を勉強し始めてまず目が飛び出たのは仮名だった。仮名は母音だけ、または子音《しいん》と母音の組み合わせからなる、「母音止め」の音節文字だ。「あ」(＝母音「a」)、「き」(＝子音「k」＋母音「i」)、「す」(＝子音「s」＋母音「u」)、「て」(＝子音「t」＋母音「e」)、「の」(＝子音「n」＋母音「o」)などの類ですね。この書き方は実は、ギリシアの「線文字B」とそっくりなんだ。

線文字Bは、私が挑んでみてすぐに挫折《ざせつ》した線文字Aから発展し、ギリシア本土とクレタ島で大量に出土した粘土板に刻まれたものだ。紀元前一四〇〇年ぐらいから一二〇〇年ぐらいまでの間、ミケーネ文明のとっても古いギリシア語を記録するために使われた。アルファベットがギリシアに伝わるずっと以前のことだ。中身は宮殿の備品在庫管理表や職員リスト等、極めて事務的な書類ばかりで、ある面ではちっとも面白くない。が、しかし当時の社会がほんの少し垣間見《かいまみ》えることと、気が遠くなるほど大昔のギリシア語が書かれている点にその魅力が潜む。

さて、形はもちろん全然違うけど、線文字Bのそれぞれの記号は仮名と全く同じように、母音止めの音節を表している。「あ」にも、「き」にも、「す」にも、「て」にも、「の」にも、ぴったり当たる文字があるわけだ。しかも全部表にすると、まるで五十音図を見ているかのような錯覚を起こしてしまう（次ページの図参照）。三〇〇〇年以上前に廃れた文字だ。

このミケーネ文字は一九五二年、天才的なイギリス人建築家、ベントリスによって見事に解読された。彼が利用した方法は、仮名をそのまま当てはめれば割と簡単に説明できちゃう。

ベントリスはまず、音節文字だという前提で取りかかった。文字の数は九十前後で、アルファベットにしてはやたら多いが、音節文字だとしたら程よい数字だ。ご参考までに、平仮名・カタカナそれぞれの総数は、濁点などの付いているやつを除いても、「ゐ」（「ヰ」）と「ゑ」（「ヱ」）を入れて四十八と、例えば英語のアルファベットの二

ミケーネ文明の線文字Bの「五十音図」

Michael Ventris and John Chadwick,
Documents in Mycenaean Greek (2nd edition.
Cambridge: Cambridge University Press. 1973.) より

十六を大きく上回る。濁点とかの付いているやつを別に数えると七十三個、「ヴ」まで含むと七十四個に上る。誰も気にかけちゃいない数字を、あえてここまで計算するのは当研究室らしい。

しかし、ちっとも読めない線文字Bというやつは音節文字じゃないかと、推測できたとしても、どうやってそこからめでたく解読へと持っていったの？
平仮名で記した五段活用の動詞を、まず例にとってみよう。例えば、「たぶらかす」。活用すれば、いろんな形になる。
たぶらかさない
たぶらかした
たぶらかす
たぶらかせる
たぶらかそう
……など

最初の四文字は全部「たぶらか」と、まったく一緒。そして五文字目以降はばらばら。ただし、五文字目をよくよく見てください。「さ」「し」「す」「せ」「そ」。それぞれ違うんだが、一つだけ共通点がある。すべてサ行なのだ。

どうして？

「たぶらかす」の語幹はｔａｂｕｒａｋａｓと、「ｓ」に終わる。そしてそれにいろんな語尾がくっつく。未然形の「ａ」。連用形の「ｉ」。終止形の「ｕ」。可能の意味を表す「ｅ」。意志の意味を表す「ｏ」。

仮名は母音または子音＋母音を表す文字だ。その結果、「たぶらかす」のように、語幹が子音に終わって、語尾が母音からなる場合、一つの文字が語幹の終わりと語尾にまたがることになる。従って、活用によって語尾が変化して、ひいては文字が違ってきても、同じ語幹なんだから、その文字が表す子音の方は原則として、全部一緒なはずだ。さっきの「さ」「し」「す」「せ」および「そ」ですね。

音節文字のこの特徴を初めて指摘したのは、アメリカ人の学者コバー女史だったが、ベントリスは、線文字Ｂの解読に当たって、その理論を応用した。同じことばの違う活用形と思《おぼ》しきものをいくつも集めて、語尾に当たりそうな文字を抽出したのだ。「たぶらかす」の「さ」「し」や「す」などに相当する部分ですね。

これで、文字の読み方自体は相変わらず全然分からなかったが、どの文字とどの文字が子音を同じくしているのかは少しずつ見えてきた。
じゃ、母音は？　平仮名の次の例で考えましょう。

たぶらかさない
かかない
ぶたない
ぬすまない
しなない
ゆすらない
……など

後ろから三文字目を見てください。「さ」「か」「た」「ま」「な」「ら」。それぞれ違うんだが、一つだけ共通点がある。すべてア段なのだ。
どうしてかと言うと、こいつらの語幹はすべて異なる子音に終わる。「ｔａｂｕｒａｋａｓ」「ｋａｋ」「ｂｕｔ」「ｎｕｓｕｍ」「ｓｉｎ」「ｙｕｓｕｒ」。けどそれぞれに同じ未然形の「ａ」という語尾がくっついている。

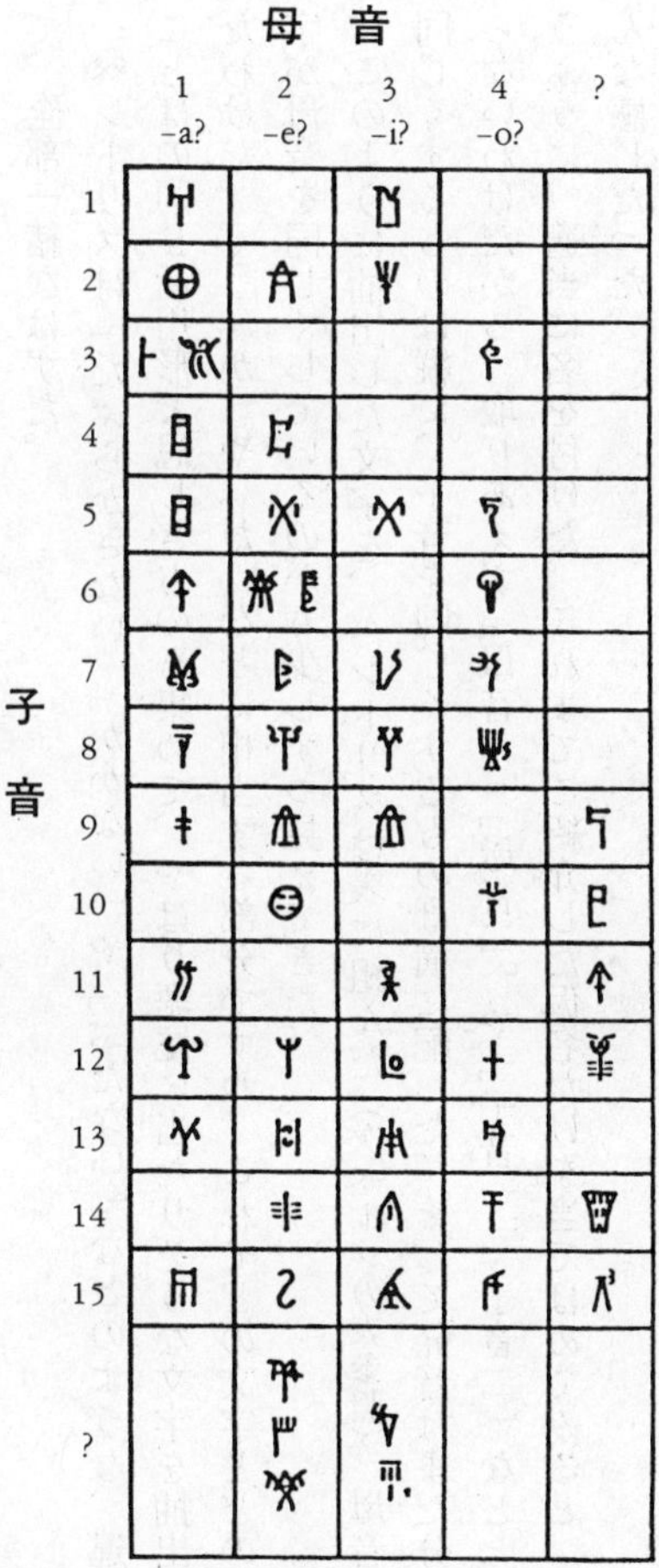

Michael Ventris and John Chadwick, *Documents in Mycenaean Greek* (2nd edition. Cambridge: Cambridge University Press. 1937) より

線文字Bを解読するためにベントリスが作った表

この場合もまた、音節文字の特徴として、一つの文字が語幹の終わりと語尾にまたがっている。従って、同じ語尾でも、語幹の最後の音が違うから、文字も違ってくる。ただ、文字が違ってても、同じ語尾なんだから、その文字が表す母音の方は原則として、全部一緒なはずだ。

ベントリスは「たぶらかさない」「かかない」や「ぶたない」などのような、違うことばの同じ活用形と思しきものも集めて、やはり語尾に当たりそうな文字を抽出したわけだ。「さ」「か」や「た」などに相当する部分ですね。これでどの文字とどの文字が母音を同じくしているのかも少しずつ見えてきた。

このように抽出した文字を、ベントリスは表に組んだ（次ページの表参照）。母音を同じくするものは縦に、子音を同じくするものは横に配した。そして発音はまだ分からないわけだから、取りあえず「母音一」「母音二」や「子音一」「子音二」などというふうに、適当に名を付けた。これまでご紹介した仮名だけを当てはめてみると、こんな感じだった。

	子音一	子音二	子音三	子音四	子音五	子音六
母音一	さ	か	た	ま	な	ら
母音二	し					
母音三	す					
母音四	せ					
母音五	そ					

実際には数十個の文字をこのように表に組んだ。平仮名が全然読めないのに、文面に現れる日本語の活用のパターンを詳しく観察しただけで、五十音図を作ってのけるような神業だ。

この表はベントリスにとって強力な武器となった。一つでも文字の読みが分かってしまったら、同じ段にある文字の母音、そして同じ行にある文字の子音は連鎖反応的に確定してしまう。右の平仮名の表で説明すると、「さ」が「ｓａ」だと判明したら、「そ」「せ」「し」と「す」がすべて「ｓ」で始まること、そして「か」「た」「ま」

「な」と「ら」がすべて「a」に終わることも、同時にわかっちゃう。

でも、ベントリスはどうやって最初の文字の読み方を突き止めて、その肝心な突破口を開いたの？

線文字Bの粘土板には、地名と思われる文字列がいくつかあった。一方、「クノッソス」など、ミノア文明やミケーネ文明の中心地の名前が、どこかに潜んでいるはずだと推測した。そんな古代ギリシアのよく知られている固有名詞を、地名と思われた文字列に当てはめてみた。その結果、何と表の半分以上の文字が一気に読めてしまった。解読してみたら、驚いたことに、その言語は初期ギリシア語だということが明らかになった。本人だってこれにはびっくりしたらしい。ギリシア語以前のことばだろうな、とてっきり思い込んでいたから。

と言うことは、数千年先の若き天才は同じ方法で平仮名を解読するのでしょうか。

理論上は充分可能だろう。

ただ、罠《わな》は意外と多いかも。さっき「たぶらかす」の例をご紹介したが、例えば「よむ」だったら、「たぶらかす」ほどしっくりいかない。

おちこまない

おちこんだ
おちこむ
おちこめる
おちこもう

仮名を解読しようとしている数千年後の物好きな人物が、「おちこんだ」の「ん」は、「ま」「む」「め」や「も」と子音は一緒で、母音は違うだろうと、当ててしまってもおかしくないだろう。「おちこみたり」が「おちこんだ」になる音便には足をさらわれかねない。

というわけで、以上、なるべく単純に、仮名との類似性を浮き彫りにしながら線文字Bの解読法を概説しようと努めただけで、話は実際にはこれよりかなり複雑だ。なにしろ、三〇〇〇年以上前の古代ミケーネ人はわざわざ解読しやすい活用形ばかりを使ってくれたわけじゃないんだから。

ところで、線文字Bを解読した四年後、ベントリスはわずか三十四歳の時に車の事故で亡《な》くなった。古代ギリシアの詩人のことばを借りると、神々の愛する者は若くして死んでしまう。

とにかく、日本語を勉強し始めて数週間のうちは、仮名が表記法として太古のミケーネ文字にひどく似ているじゃないかと驚きまくっていた。

漢字もまた、少年時代大好きだった古代文字に妙に通じるところがあるな、とやはり感心した。高校生のころ、通販ではるばるイギリスの書店から入門書を入手して、古代エジプト語をかじったこともあるので、ヒエログリフを例に取ってみよう。

ヒエログリフはどうも絵文字に見える。そして中には確かに、かたどっているものをそのまま指す文字も含まれている。太陽の形をしたものは「日」という意味のことば、三日月の形をしたものは「月」という意味のことばを表す。言うまでもなく、もともと漢字の「日」も太陽の絵で、「月」は三日月の絵だった。ここまではヒエログリフと漢字は一緒なわけだ。

ただ、こんな単純な絵だけではとても文章が書けない。どうやって「ありません」や「ちょくちょく」や「アホらしい」みたいな手に取れないものを絵で示すの？　やはり音を表す表音文字も欠かせない。絵文字かのように見えて仕方がないヒエログリフだって、実は表音文字が大活躍をしている。例えば、古代エジプトの壁画や浮き彫りに記されている文字の列を見ていると、ウズラのひなやフクロウやハゲワシをかたどったものがやたら目立つ。鳥類の話題が尽きない民族だったんだなと、見た目にだまされてはいけませんよ。アルファベットの「w」や「m」などと一緒で、音を表す記号に過ぎない。

古代エジプト人はよく、こうした表音文字でつづったことばの尻《しり》に、そのことばは何関係のことばなのかを示す記号も付けた。この記号は特に発音しない。例えば、「きのう」「きょう」や「あした」みたいな、日にち関係のことばの尻に、さっきの太陽をかたどった文字をくっつけた（一九七ページのイラスト参照）。まるで日本語で「きのう日」「きょう日」「あした日」と書くようなもんですね。なお、この場合「日」は特に発音しない。

一見、漢字からほど遠いもののように見える。日本語で発音しない漢字はというと、限りなく皆無に近い。せいぜい「和泉」の「和」ぐらいかも。

しかしよく考えれば、この古代エジプト語の表記法は漢字の形成原理に非常によく似ている。「きのう」は漢字で書くと「昨日」だが、「昨」という字に注目しましょう。解体すると「日」と「乍」からなっている。「乍」は発音記号として働き、字の音読みは「サク」、あるいはそれに近いものだと教えてくれる（「乍」の音読みは実は「サ」だが、他の漢字の一部として「サク」の発音を示すこともある）。そして太陽をかたどった「日」の部分は、特に発音しないけど、日にち関係のことばだと限定する。

まるで「きのう《日》」と書くようなもんですね。

これはヒエログリフとそっくりじゃないか。発音を表す記号と何関係のことばかを表す記号を組み合わせる書き方は全く一緒で、違うのはせいぜい、ヒエログリフのようにそれぞれ独立した文字として記すのか、漢字のように複合文字に統合するのか、ということぐらい。

漢字はもちろん、古代中国人の作った文字だが、日本語の中でどう使われているかを見ると、いっそうヒエログリフに似てくる。さっき言ったように、古代エジプト人は、太陽の形をした字をもって、「日」という意味のことばを表した。「日」はエジプト語で「ラー」と言う。皆さんもきっとご存じの、古代エジプトの太陽神の名前「ラー」と一緒で、とあるカップ・ラーメンのCMに出てくる「ラーの道」などとは一切関係ありませんよ。さて、ヒエログリフには表音文字もあったわけだから、このことばを「ラー」と表音文字でつづって、最後に「日」という文字をくっつける、という書き方もあった。まるで日本語で「ひ日」と書くようなもんですね。あるいは、配置をちょっとだけいじったら、「日《ひ》」。考えてみりゃ、「ラー」というエジプト語だって、同じ方法で日本語で表記できるじゃないか。「日《ラー》」。

何だ！ 変な文字だとばっかり思ってたヒエログリフは、実は毎日使っている漢字

……………漢字の「日」に当たるヒエログリフ

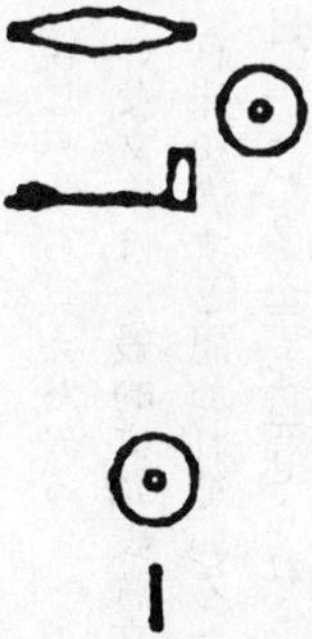

……「日」「太陽」という意味。両方とも「ラー」と読む。は「ラー」を表す表音文字。は太陽という意味の表語文字。

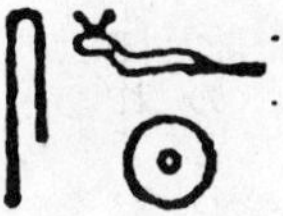

…………「昨日」を意味するヒエログリフ。は「昨日」の発音を表す表音文字。は「日」と関係することばであることを示す。

と大して変わらないんだ。親しみすら覚えちゃう。

漢字やヒエログリフみたいな文字は一般的に「表意文字」と呼ばれている。音を表す表音文字とは対照的に、意味を表すと思われているからだが、このとらえ方は実態から微妙にずれている。「日」という文字を見せられ、

「これは何という字ですか」

と聞かれて、

「それはですね、太陽という意味の字です」

と答える日本人は、よっぽど変人じゃない限り、まずいないだろう。

「『日《ひ》』という字です」

と答えるに違いない。すぐ特定のことばを連想してしまうのだ。

逆に、「日」という文字が太陽の意味を指すからと言って、「日がのぼる」を「たいようがのぼる」とは絶対に読まない。無理やりに「日《たいよう》」と振り仮名を付けるあまのじゃくもいなさそうだし（ひっくり返って「太陽《ひ》」はどっかの小説に出てきそうだが）。

つまり「日」に代表される、表意文字と一般的に呼ばれるやつは、直接意味を表すというより、特定のことば（「日《ひ》」）、あるいはことばを組み立てる特定の要素（「日常」の「日《にち》」、「祭日」の「日《じつ》」）を表す。その特定のことばや、ことばを組み立てる

要素は言い換えれば、それぞれの字の読みとなるわけだ。

こうしてことばそのものを表すところから、漢字のような文字は「表語文字」とも呼ばれている。見慣れない変な用語だけど、より正確だという気がするから、当研究室でも使わせていただきましょう。あえて定義すれば、表音文字は意味とは関係なく、純粋に音そのものを表す（例えば平仮名の「ひ」「に」「ち」「じ」「つ」など）。これに対して表語文字は、単語のような「決まった意味を伴う音」というワンセットを表す。しかも普段、一つの字でそういったワンセットをいくつか表す（「日」、「日常」、「祭日」）。冒頭のちょっと無理な例文に十通りもの読みで登場した「生」はその極端な例だ。

表語文字が大量に使われているのは、日本や中国の文字を始め、エジプトのヒエログリフ、そしてシュメールやバビロニアの楔形《くさびがた》文字など、古今の多くの文字大系の特徴だ。

ただ、表語文字のみで記された言語はあまりないようだ。日本の漢字仮名交じり文や、すでにご紹介したヒエログリフみたいに、表音文字と組み合わせるのが普通。専《もっぱ》ら漢字で書かれている中国語は例外だが、それは表音文字でしか表せない活用が中国語に全くないからだろう。おまけに、さっき見たように、漢字の場合は、表音機能がある程度最初から字そのものに組み込まれている。

さて、日本語では、表語文字である漢字と組み合わせた表音文字は、一般的に送り仮名という形を取る。漢字の後ろに付いて、その漢字を正しく読むのを手伝ってくれる。「苦い」は「にがい」だが「苦しい」は「くるしい」。「極く」は「ごく」だが「極めて」は「きわめて」。このように、ことばの発音の一部だけ表音文字で記して、表語文字の読みを確定するのは、決して日本語独特の表記法じゃなくて、エジプトのヒエログリフにも、楔形文字にも見られる。

だがこの面で日本語に特に似ているのが、なんとマヤ文字なのだ。

周知の通り、マヤ文明は中米のユカタン半島やその南の高地で栄え、三世紀頃から九世紀頃にかけて最盛期を迎えた。マヤ文明のピラミッドや神殿で刻まれた絵のような不思議な文字は長い間なぞに包まれていた。絵画のような見た目が災いして、ことばを記録する普通の文字であるはずがない、言語の次元を超え、神秘的な意味が込められているに違いない、という先入観がずっと解読を妨げていた。しかし八〇年代までに、マヤ文字はやっと、ほぼ完全に読み解かれた。

そしてその構造が、あきれるほど日本語の文字に酷似していることが分かった。マヤ文字は仮名のような音節（表音）文字と、漢字のような表語文字からなっている。中でも音節文字の方は仮名（およびさっきのミケーネ文明の線文字B）と本当にそっくりで、「ア」「ク」「テ」「ヨ」などと、母音止めの音節を表す。

しかも、日本語で例えば「猫」とも「ねこ」とも「ネコ」とも書くように、マヤ文字でも、同じ単語には普通、幾通りかの表記があった。その一例をご紹介しましょう。マヤ語で「ジャガー」のことを「ｂａｌａｍ」と言ったそうだ。このことばは、仮名に相当する音節文字で、「バラマ」と書くこともあった（「マ」の中の「ア」は発音しなかったらしい）。また、漢字に相当する、ジャガーの頭をかたどった一つの表語文字で表すこともあった。あるいは、日本語で漢字に仮名を送るのと全く一緒で、ジャガーの頭をかたどったこの表語文字に、「マ」という音節文字を「送る」こともあった（二〇三ページのイラスト参照）。

ネコ科の例は残念ながら思いつかないけど、例えば「たぐい」という単語を専ら平仮名でも書くし、漢字だけで「類」とも書くし、「い」を送って「類い」とも書くのと基本的に同じじゃないか。

マヤ文字にも送り仮名みたいなものまで存在したわけだが、「送った」だけじゃない。「迎える」こともあったのだ。さっきの「ｂａｌａｍ」という例で言うと、まず「バ」という音節文字を書いて、その後ろにジャガーを指す表語文字をくっつけた。

まるで日本語で「ね猫《こ》」あるいは「た類《ぐい》」などと、「迎え仮名」を付けるようなもんですね。

ところで、「迎え仮名」とは、わ私《たくし》が勝手にでっち上げたことばで、そんなものはもちろん実際には存在しないだろうとつい先ほどまではてっきり信じ込んでいた。しかし『大辞林』という座右の辞書で遊び半分に調べてみたら、「迎え仮名」はちゃんと載っているのだ。

「読み方を示すために漢字の上に添えておく、読みの最初の仮名。小さい字で書くことが多い。川柳・俳句などにみられる」

そして「ャ宿」という例を紹介している。これで「シュク」ではなく「ヤド」と読むことを示すそうだ。

マヤ文字の「迎え方」とそっくりじゃないか。それにしても、このわ私《たくし》、まだまだ勉強不足だな。

そしてこともあろうに、マヤ文字には「送り迎え」まであった。またもやジャガーの「ｂａｌａｍ」にご協力をお願いすると、「バ」＋「ジャガーの表語文字」＋「マ」。ちょうど日本語で「た類《ぐ》い」あるいは「わ私《たく》し」などと、「送り迎え仮名」を付けるようなもんですね。

マヤ文字 「バラマ」（ジャガー）の五つの書き方

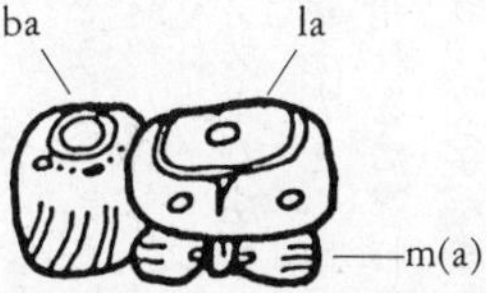

音節文字だけ。仮名に当たる。

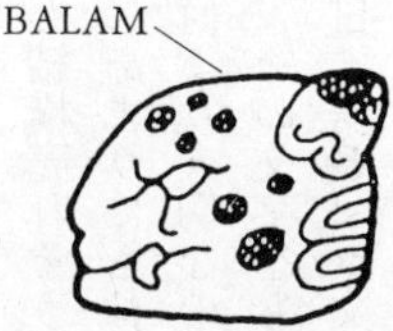

表語文字だけ。漢字に当たる。

「漢字＋送り仮名」に当たる。

「迎え仮名＋漢字」に当たる。

「迎え仮名＋漢字＋送り仮名」に当たる。

Michael D. Coe, *Breaking the Maya Code.*
(Thames and Hudson, 1992. Republished by Penguin Books 1994) より

よかった。「送り迎え仮名」はどの辞書にも載っていない。

それはそうと、どうして日本語の文字と、千数百年前のマヤ文字はここまで似ているの？

コロンブスよりずっと前、日本人が太平洋を中米に渡って、文字をもたらして、マヤ文明を興《おこ》したということか？　確かに、そんな内容の本を書いたら、本書よりずっと部数が売れるに違いない。覚えておこう。

だが違う。文字がまだ日本に伝来していないはずの時代に、マヤ文字はすでにあった。

じゃ、逆か？　日本人のルーツははるかなるユカタン半島か？　大昔、マヤ族は日本列島に漂着して、文字を始め、文物を伝えてきたのか。

この説も結構売れそうだが、明らかに違う。日本の文字は中国から来ているのだという事実はあまりにもはっきりしているから。

そして何より大切なのは、日本とマヤの文字の仕組みが似ているのであって、文字の形とか、その文字をもって書かれている言語が似ているわけじゃない。

そして日本語とマヤ文字の仕組みは特によく似ているとはいえ、何回となく見てきたように、ヒエログリフも楔形文字も、仕組みの面ではやはり、日本語にかなり近い。

また、仮名に限って言えば、ミケーネ文明の線文字Bも構造的にはそっくり。

そもそも、地理的に大変離れている文明でも、いざことばを記そうとした際、半ば必然的に同じような方法にたどり着いた。なぜならば、理論の上でも、言語を視覚的に記録できる方法はそう多くはない。古代人はどうしても最初に、ヒエログリフやマヤ文字みたいな、表語文字と表音文字の組み合わせを思いついたらしい。日本や中国では、そういった文字大系はいまだに存続している。一方、西洋から西アジアにかけて、そんな文字はとっくの昔に廃《すた》れていて、後から登場したアルファベットがローマ字やアラビア文字など、いろんな形で用いられている。

日本語の文字がマヤ文字や他の古代文字に似ているのも無理はないわけだ。日本語の文字自体が、言ってみれば一種の古代型文字なんだから。

「うちの漢字と仮名が原始的だと言いたいのか？　このヤロウ！　一発ぶちかましてやる！」

といきり立つ血の気の多い読者がいるといけないから、ここで断っておきます。

「おたくの文字は時代遅れだな。うちのアルファベットを見てご覧。進んでいて素晴らしいじゃないか」

などとケンカを売るつもりはさらさらない。そんな言い方は五十歩百歩。文字の長い発展の中、アルファベットは割と新しい段階で出現したとはいえ、それでも三千年以上前にさかのぼっていて意外に古い。ことばを書く際、現代人はみんな揃《そろ》って、何らかの形で古代人の知恵の恩恵に浴している。

しかも実を言うと、ヒエログリフやマヤ文字、そして日本語などで中心的な役割を果たす表語文字は、英語を始めとするアルファベット圏の言語でも使用されている。英語にだって、漢字と同じように単語そのものを表す記号もある、ということだ。

例えば「$」は英語で「ｄｏｌｌａｒ」ということば、「¥」の方は「ｙｅｎ」ということばを表す。数字の１・２・３などもそれぞれ特定の単語を指し、漢字とまったく一緒で複数の読みまである。１・２・３のままだと「ｏｎｅ」「ｔｗｏ」「ｔｈｒｅｅ」と発音する。だが送り仮名を付ける感覚で1ｓｔ・2ｎｄ・3ｒｄとアルファベットを送れば、「ｆｉｒｓｔ」「ｓｅｃｏｎｄ」「ｔｈｉｒｄ」となる。

とは言え、「ｆｉｒｓｔ」を入力すれば「1ｓｔ」に変換してくれる英文ワープロは、さすがにない。

ただ、英語のこうした表語文字はもちろんかなり少ない。

漢字と仮名の組み合わせという、最古型の文字大系が日本でいまだに使われているのは、私みたいな古代文字オタクにしてみればめちゃくちゃ面白いことだ。そんな文字を持ちながら、日本人は経済大国をきずき上げ、さらにIT時代に突入した。パソコンの普及で、漢字仮名交じり文の印刷や、漢字仮名交じり文によるデジタル情報のやり取りなども簡単にできるようになり、日本の古代型文字の未来は盤石のようだ。

そこでまた想像をたくましくしてしまう。

歴史が大きく変わってたら、今頃中米では、パソコンの入力をマヤ文字でやっていたのかも知れない。中東では、楔形文字のスポーツ新聞やファッション雑誌を読んでいたのかも知れない。エジプトの都会では、派手なヒエログリフのネオンが点滅して歌舞伎町《かぶきちよう》で踊る古代文字を見ながら、ついそう思ってしまう。

ご機嫌よう

当研究室はいよいよ閉鎖されることとなっているが、そこでちょっと悩んでいることがある。読んでくださった皆様にどうお別れを告げようかな、と。

英語圏では、日本語の別れの挨拶《あいさつ》ぐらいは誰でも知っている……つもり。「sayonara」。アクセントは「な」に置く。でも実際日本に来てみると、「さようなら」は、非常に限られた相手にしか使わない。つまり子供と、それこそ外国人ぐらい。私も電話を切る時など、こっちが「ごめんください」と言っているのに、「さようなら」と言われてしまうことがある。私が変な日本語で喋《しゃべ》っているから、先方もそれに合わせて変な日本語で喋らないといけないと思っているのかな。

ところで「さようなら」の原義は「それならば」だが、こういう意味の別れの挨拶は日本語の特徴らしい。「さらば」もそう。でも、「読者の皆様よ、さらば」じゃ、あくまで会話調を重視してきた当研究室としては、ちょっと文語の色が濃すぎる。同じ系統に、極く普通に使われている「それでは」がある。「それでは失礼します」

などを省略したものだ。「それじゃ」「では」、そしてくだけた「じゃ」という変化形もある。

もう一つの流れとしては、再会の期待を込めた挨拶がある。「また会いましょう」「またお目にかかりましょう」とかいう連中だ。まあ、再会の期待を込めていると言っても、社交辞令に過ぎないことが多い。私自身も、「また会おう」と言っておいて、二度と顔を合わせたことのない人は数え切れないほどいる。

じゃ、原点に戻りましょう。日本語を点検したり、解剖したり、そして診断したりするという大変おこがましい設定でこれまでやってきた。結局とんだやぶだったわけだが、医療現場にふさわしい別れの挨拶でどうだろう。

お大事に。

日本語を、ですね。

生まれた時から
日本語に慣れ親しんでいると
その良さがわからないものです。
文法が苦手
えーと
さー・しー・する・
すれ・しろ・し
↑「する」のサ行変格活用
国語

解説

清水義範

イアン・アーシーさんは変な外人である。たとえアーシーさんが母国のカナダにいようとも、我々日本人から見ればまぎれもなく変な外人で、しかも由緒《ゆいしょ》正しい正統の変な外人だ。

外人、という言葉は最近、外国人と言いかえる傾向にあるのだが、ここでは外人でいいことにしよう。当のアーシーさんが外人という言葉を使っているのだから、そう言われて気を悪くする心配はしなくていいだろう。

さてその外人という言葉の意味は、決して異国の人、ということではない。中国語にももしかすると外人、という言葉はあるかもしれないが、ここでは日本語の外人のことだけを考えよう。日本語の外人という言葉の意味は、日本人じゃない人、ということである。

(アーシーさんも例に出している、映画の『外人部隊』だけは、外人＝異国の人、の意味だ。古い映画で、外人の意味が定まっていなかった頃にそう名づけられてしまったのだろう。私なら『他国人部隊』にするがなあ)

そういうわけで、たとえアーシーさんが母国のカナダにいても、日本人にとっては外人なのである。日本人というのは、次のようなことを平気で言うのだから。

「フランスはどうでした」

「いやあ、外人がいっぱいいた」

さてそこで、変な外人、というのはどういう意味なのかを考えてみよう。変な外人、という言い方があるってことは、変じゃない外人、というものがあるってことである。

つまり、普通の外人、ただ外人と言った時に想像するもの、のことだ。

多くの日本人は、外人、というものを次のような人間だと思っている。

外国の人で、外国語を話すが、日本語は話せない。日本語を読み書きするなんてとんでもない。

外人は、日本文化が理解できない。家にあがる時に靴を脱いだり、集団で全裸で風《ふ》呂《ろ》に入る日本人のことを、野蛮人だと思っている。

外人は、日本人のことをイエロー・モンキーだと思っており、がむしゃらに働くというアンフェアなやり方で経済繁栄していることを苦々しく思っている。

外人は日本語のことを、未開地の泥臭い言語だと思っており、ごくまれにそれを知った者は、なんというあいまいでむちゃくちゃで非論理的な言葉かとあきれている。そういうものが、外人なのである。

日本人は、自国以外の世界をあまり知らず、外国に対してはコンプレックスを持っており、しかも、世界を相手にした戦争に負けるという体験をした結果、外国に対しては憧《あこが》れと負け犬根性を持っている。だから外人とはそういうものだと決めこんでいるのだ。

外人から見れば日本文化なんてとんだお笑い草であろう。外人から見れば日本語なんて理屈も何も通っていないでたらめのもので、こんなあいまいな言語があるもんかと思っているのだろう。

日本人にはその思いがしみこんでいる。

そして、そうではない外人が仮にいたとすると、その人のことを変な外人、と呼ぶのである。

たとえば日本語を流暢《りゅうちょう》にしゃべる外人。たとえば、日本文化が好きで、歌舞伎《かぶき》や能や禅や浮世絵や忍者を愛する外人。たとえば、日本語を面白がって研究し、日本語は決してあいまいじゃないですよ、なんて言う外人。

それが、変な外人である。だとするならば、イアン・アーシーさんこそが、まさしくその変な外人の典型であると言えるのだ。

アーシーさんは日本語を研究しているのだ。日本語の面白さについて、当の日本人でさえ見逃していることを指摘し、ユーモアたっぷりに教えてくれるのである。日本語がどんなふうに乱れているのかを教えてくれ、日本語の乱れを嘆いてもくれるのだ。

そんな外人が変な外人でなくて何であろうか。

たとえば、日本人にとって、戦争というのが忌《い》み言葉であり、平和というのがその言い換え語だというようなことは、アーシーさんに言われるまで誰も気がついていなかったことだ。

たとえば、

「それでいいんじゃないですか」

というのが、形は疑問文なのに、意味は肯定文として使われている、なんてことも見過ごしていた。

外人のアーシーさんはそんなことを教えてくれるのである。コンピュータに表示される文章が何を言ってるのかさっぱりわからない、という体験はみんながしているのだが、その原因が英文の直訳調だからだ、というのを教えてくれるのはアーシーさんだけなのだ。

というわけで、アーシーさんはまことに貴重な変な外人なのである。

私はアーシーさんに一度だけお目にかかったことがある。そしてそれ以後、毎年、年賀状のやりとりをしている。興味を持つ人がいるかもしれないので報告しておくと、アーシーさんの年賀状は、普通の年賀はがきに印刷をしたもので、『謹んで新春のお慶《よろこ》びを申し上げます。』というのが今年のメインの文章だった。

アーシーさんと会ったいきさつは、氏が『政《お》・官《えら》・財《がた》の日本語塾』という著書を発表した直後のことで、ある雑誌が、日本語についての対談をして下さい、ともちかけてきたのだ。

私はその本を読んでいて、外人でよくこれが書けたものだと感心していたので、大乗り気で対談をした。会ってみるとアーシーさんは、鋭い目つきの知的な風貌《ふうぼう》で、日本語がとてもうまい、私より十五歳年下の人であった。日本語の不思議さ、面白さについて、話題がいくらでも出てくる。

『政・官・財の……』という本で、アーシーさんは官僚の言葉、政治家の言葉、広告の言葉をからかいきっているのだが、私はそれを読んで、よく一人でこれを調べつくし、書ききったものだと驚いた。

ひとつかふたつの例をあげて、これは言葉が変だよね、と指摘するというのは、よく文化人がやっていることである。官僚はどうしてアセスメントだの、コンセンサスだのとカタカナ語を使うのだ、とか、広告の中に出てくる英単語はでたらめだよなあ、とか。

しかし、そういうおかしな言葉を、全部集めて、分類し、解明し、こういう構造になっているのだ、とまで論じきる人はいない。それはとても大変な作業で、脳の体力がいるのである。

アーシーさんの本では、その点が十分に究めてあって、私はその人の脳の体力に感心した。ひとつやふたつの例でけしからん、と言っているのは老人の嫌味でしかないが、それで本を一冊書いてしまうならば、それは価値ある日本語論になるのだ。

その上、アーシーさんにはユーモアがあり、大いに皮肉もきいていて、こわばった笑いに我々を誘う。知的で刺激的な体験ができる。

本書は、そういうイアン・アーシーさんの日本語解剖の書である。日本語を見つめるアーシーさんの視線はますます深まっており、愛のあるハテナはますます面白くなっている。

たとえば私は本書で、マヤ文字が日本語の文字に酷似した構造を持っている、なんてことを教えられて、知的興奮を味わった。この人は在野の言語学者でもあるのだと認識した次第である。

というわけなので、この本に書いてあることは実はなかなかに奥が深い。しかし、それがユーモア精神のもとに書かれているので、少しも読みにくくなく、大いに笑って読める。ぷっと吹きだして読んでいき、やがて、言葉って楽しくて、かつ奥の深いものなんだな、ということが感じられる名著である。

またどこかでお会いしたいですね、アーシーさん。

(平成十五年一月、作家)

この作品は平成十三年三月毎日新聞社より刊行された。

大野　晋著　日本語の年輪

日本人の暮しの中で言葉の果した役割を探り、言葉にこめられた民族の心情や歴史をたどる。日本語の将来を考える若い人々に必読の書。

大野　晋著　日本人の神

日本人が考えたカミはホトケや God とどう違うのか。〈神〉という日本語の由来を遡りながら、日本人の精神構造、暮し方を考える。

大野　晋著　日本語の水脈
―日本語の年輪　第二部―

言葉の意味を詳しく追求すると、それを使っていた人たちの考え方が見えてくる。日本語研究の第一人者が明かす日本語の秘密の数々。

森本哲郎著　日本語　表と裏

どうも、やっぱり、まあまあ――私たちが使う日本語は、あいまいな表現に満ちている。言葉を通して日本人の物の考え方を追求する。

米原万里著　不実な美女か貞淑な醜女か
読売文学賞受賞

瞬時の判断を要求される同時通訳の現場は、緊張とスリルに満ちた修羅場。そこからつぎつぎ飛び出す珍談・奇談。爆笑の「通訳論」。

柳田国男著　毎日の言葉

「有難ウ」「モシモシ」など日常生活の最も基本的な言葉をとりあげ、その言葉の本来の意味と使われ方の変遷を平易に説いた名著。

光文社文庫　好評既刊

炎四郎外道剣　魔像篇　鳴海丈
柳屋お藤捕物暦　鳴海丈
闇目付・嵐四郎　破邪の剣　鳴海丈
慶安太平記　南條範夫
風の宿　西村望
置いてけ堀　西村望
左文字の馬　西村望
紀州連判状　信原潤一郎
銭形平次捕物控（新装版）　野村胡堂
井伊直政　羽生道英
丹下左膳（全三巻）　林不忘
侍たちの歳月　平岩弓枝監修
大江戸の歳月　平岩弓枝監修
海潮寺境内の仇討ち　古川薫
辻風の剣　牧秀彦
悪滅の剣　牧秀彦
花のお江戸は闇となる　町田富男

柳生一族　松本清張
逃亡　新装版（上・下）　松本清張
素浪人宮本武蔵（全十巻）　峰隆一郎
秋月の牙　峰隆一郎
相馬の牙　峰隆一郎
会津の牙　峰隆一郎
越前の牙　峰隆一郎
飛驒の牙　峰隆一郎
加賀の牙　峰隆一郎
奥州の牙　峰隆一郎
剣鬼・根岸兎角　峰隆一郎
将軍の密偵　宮城賢秀
将軍暗殺　宮城賢秀
斬殺指令　宮城賢秀
公儀隠密行　宮城賢秀
隠密影始末　宮城賢秀
賞金首　宮城賢秀